3・11とメディア

徹底検証
新聞・テレビ・WEBは
何をどう伝えたか

山田健太
Yamada Kenta

トランスビュー
TRANSVIEW

3・11とメディア
——徹底検証　新聞・テレビ・WEBは何をどう伝えたか——／目次

第Ⅱ部　政治とメディア

第7章 緊急事態という強権 207

装幀 佐々木正見

3・11とメディア

―徹底検証　新聞・テレビ・WEBは何をどう伝えたか―

福島第1原発を望む震災1年後の津波被災現場（2012年3月、著者撮影）

はじめに

　東日本大震災から二年が経ち、一部ではすでに「風化」が語られている。まだ、多くの被災地では「被災直後」が続いているにもかかわらずだ。実際、二〇一二年夏に訪れた福島、宮城、岩手の各所では、いまだ瓦礫がうず高く積まれ、あるいは場所によってはその瓦礫さえ、津波の威力をとどめるように放置されたままになっているのが実態である。住民もまた、多くの行方不明者をかかえたまま、心の整理がつかない不安定な状態にある者が少なくない。

　被災後三カ月目に訪れた石巻では、ようやく瓦礫の処理が始まってはいたものの、一方で水産加工工場の倉庫にあった魚の腐乱臭などが町に漂い、ハエが大量発生していた。それから一年、二度目の夏は製紙工場から煙が立ち上り、水産加工食品を積んだトラックが走り始めている。しかし多くの地区では、家の土台であったコンクリートを覆い隠すように青草が茂っている状況だ。さらに、二〇一二年八月に入って、一年半ぶりに立ち入り禁止が解除された福島県楢葉町《ならはまち》や、福島第一原発を挟んで反対側に位置する南相馬市小高地区を訪れると、いまだ瓦礫の処理すらままならない現実が目の前にある。復興どころか、復旧あるいは再生の糸口さえ見出しづらい地域が少なくないという、「まだら模様」を見せている。

にもかかわらず、政治は復興の掛け声よろしく、原発は一部再稼働し、将来にわたる安全性より、目の前の「豊かな」生活を選択しようとしている。野田佳彦前首相が再稼動の責任をとると宣言し、首長はそれを是認したが、多くの住民の不安はまったく解消されないまま、3・11は無理やり忘れ去られようとしている。変わらないというより、むしろ3・11を境に変わることを頑《かたく》なに拒否するその姿勢は、驚くほど強固といえるだろう。津波も震災も、すべては「想定外」という言葉に集約させ、原子力行政や大規模自然災害に対する基本的設計の誤りをほとんど何も認めることなく、いわば表面上のマイナーチェンジと、旧来型の札束によるボロ隠しが横行している。政治的選択は、「変わらないこと」あるいは「変えないこと」であったわけだ。

この状況は、政治だけでなく、メディアの世界にもあてはまる。3・11をめぐる、とりわけ原発・放射能に関する取材・報道は、厳しい批判の的となった。もちろんいくつかのメディアは、そうした批判を謙虚に受け止めようとしている。しかし新聞をはじめとする少なからぬ大メディアは、むしろ震災において自らの力が救援や復興を助けたと自画自賛し、反省どころか自らの取材・報道姿勢を肯定しているように見える。じつは市民から示された痛烈な批判は、単に震災時のそれというよりは、従来のマスメディアの態度そのものに対してであった。だから、その批判を真摯に受け止めることが、自らを変えるきっかけになりえたかもしれないのに、その機会をみすみす逃してしまったようにさえ思えるのである。

しかしだからといって、そうした政治やメディアをこのまま放置しておくことは、私たち市民にとってあまりにも不幸である。なぜなら、明日の生活を大きく規定するのは、まさに政治であり、その政治を日常的に監視する社会的役割を担うのが、メディアであるはずだからだ。だからこそ、3・11

楢葉町の光景（いずれも 2012 年 8 月、著者撮影）

から二年が経ったいま、改めてその両者に焦点をあて、震災で何が問われたのかを検証することによって、新しい日本社会における政治のありよう、メディアの姿を、市民の視点から捉え直すことにしたい。

二十一世紀は情報の時代といわれる。その意味は、情報公開制度やインターネットの普及によって、市民一人ひとりが情報主権者として、国や社会の進むべき道を選択できる時代であることを意味している。すなわち、情報公開制度によって、政府が有する情報はすべて公的情報として国民のものであることが、具体的な社会制度として保障され、インターネットによって双方向の情報の流れが確保されつつある。為政者や一部の力を持った者のみが情報を管理・独占し、市民は一方的に与えられた限られた情報の中で、意見表明も意思表示もできない時代は終わったのである。

そうした時代のまさに始まりにありながら、3・11では情報公開とは正反対の情報隠しや、政府による情報コントロールが頻発した。しかも、緊急事態であることを理由として、こうした情報コントロールを正当化する動きすらある。あるいはまた、双方向で自由な情報の流れの実現とはかけ離れた、マスメディアによる情報の選別がなされ、また市民の声を真剣には聞こうとしない高みからの報道が、そこここで行なわれた。だからこそ、そうした事例をきちんと検証し、将来につなげることが、制度や体制を変えるために不可欠なのである。

序章　紙面の見方

――いま何が伝えられ、伝えられていないのか――

1　市民デモはどう報道されたか

主として従来の原子力行政や現在の政府対応への批判から、３・11以降、東京や福島に限らず全国各地で市民集会やデモが行なわれている。ここでは特に、二〇一二年六月二十九日の晩の、大飯《おおい》原発再稼働直前の首相官邸前のデモに着目し、その報道ぶりを検証してみよう（なお、主催者は届け出が必要な「デモ・集会」ではなく「抗議（行動）」と位置づけているが、外見的には差異がほとんどないことから、ここでは「デモ」と記す）。

この抗議デモは、いくつかの点で大きな特徴があった。たとえばそれは、ツイッターやフェイスブックなどのＳＮＳ（ソーシャル・ネットワーキング・サービス）を通じた呼びかけに応じて万単位の市民が集まり、逆にいえば旧来の労働組合などの動員型とは一線を画していた。したがってそこに集う層も、ベビーカーを引く若いお母さんから仕事帰りの会社員まで千差万別であり、首相官邸前に政治問題で万単位の人が集まったこと自体、一九八〇年代以降初めてであった。それはまた主催者の指示に従い、予定の時間が来ると静かに解散するなど、自然集合的であったにもかかわらずきわめて秩序だったもので、警備の警官とも和やかに接し、新しい政治デモの様相を呈した。

いわば、「反原発」という政治課題に対し、市民が自分たちの意思を直接的に示しただけでなく、そのデモのあり方や形式も含め、社会的ニュース価値が高いと十分に判断できるものであった。しかし多くのメディアは、このデモの取材に終始及び腰であった。それでも、官邸前デモは回数を重ね、六月に入ると主催者発表で万単位の人が、毎週金曜日の晩に官邸・国会周辺に集まるようになる。そして一つの節目となる二十九日には、多くの新聞やテレビ局が報道する事態となった。ここでは再現可能性という点から、新聞紙面に限ってその様子を確認してみよう（原則として東京最終版を用いる。一八～一九頁図参照）。

一目瞭然であり、これほどまでに、各紙のスタンスの違いがはっきり現われた例は珍しい。それは、まさに市民の意思を、メディアが紙面にどう反映させるかという姿勢の違いである。たとえば読売新聞（以下、読売。他の新聞名も原則として「新聞」を省略）は、第2社会面に写真なしで十四行のストレート記事を掲載し、官邸前の「抗議行動」として取り上げた。そこでは、原発の再稼働に反対する活動があったことを伝えただけである。

産経もほぼ同様で、1面では触れずに、社会面のニュース短信欄の一つで、簡単に「抗議行動」の事実を報じている（写真はなし）。これは、後に示す原発行政に対する各社のスタンスとも深く関係するところであり、原発再稼働（もしくは原発そのもの）に対する市民の反対の声の大きさを、意図的に「伝えない」選択をした例である。

これに対し、東京新聞は1面トップで、大きな写真を添えて市民の反対の声があることを伝える。また同紙は、その前後で、デモおよびデモ報道についての〈解説〉までしている。その中の一節には、「連絡ミスで、現場に出向いた記者がいなかった」、「重く受け止め、ミスをなくす取材態勢を整えました」と、それまでのデモを報道しなかったのは、取材に行っていなかったせいであるとして詫び、次回は必ず取材しますと約束までしている（六月二十一日付朝刊「応答室だより」）。まさに、意図的に「伝える」選択をしたということである。

このほか、毎日は1面ヘソ（ハラ）と呼ばれる3番手ニュースとして扱い、朝日はさらに遠慮がちながらも1面の左端に写真を配置した。言葉の使い方を見ても、東京と毎日は、主催者（首都圏反原発連合）が使用している「反原発」という言い方を、そのまま使用してデモを紹介しているが、朝日は「脱原発」と、わざわざ言い換えをしているところが興味深い。そのうえで、社会面では再稼働に「反対の声」があるとしているが、こうした言葉の選択は朝日の場合ほぼ一貫しており、紙面上で「反」原発をあえて避ける姿勢がみてとれる。

もちろん、わかりやすさを追求して言い換えが必要な場合も少なくない。しかしこの場合は、市民の声を意図的に「改竄《かいざん》」していると捉えられかねないのであって、もしこれが何らかの「遠慮」や「自制」であるとすれば、市民の声を「誤って伝える」ことになり、場合によっては「伝えない」ことよりも罪深いことがある（ただし朝日は、社会面などで「ＤＥＭＯ」といったワッペンと呼ばれる通しタイトルをつけて、積極的に「伝える」紙面づくりも行なっている）。

このほか日経は、社会面に二段モノクロ写真に二十六行の記事を掲載する。

こうしてみると、読売と東京の両紙はまさに、もっともはっきりした形で、市民の意思表示を紙面

首相官邸前デモを報じる新聞各紙

（2012年6月30日朝刊、縮尺は共通）

大飯原発の再稼働 官邸前で抗議行動

関西電力大飯原子力発電所（福井県）の再稼働に反対する市民らが29日夕から夜にかけ、東京都千代田区永田町の首相官邸前で抗議活動を行った。幼い子供を連れた女性らも参加しており、「原発をなくそう」「子供を放射能から守れ！」などと書かれたプラカードを両手で掲げ、「再稼働反対」と声をあげた。警視庁によると、集まったのは約1万7000人。

読売新聞

▼原発再稼働反対に２万人

関西電力大飯原発３号機（福井県）の原子炉起動を７月１日に控え、原発再稼働に反対する抗議行動が29日、東京・永田町の首相官邸周辺であった。短文投稿サイトのツイッターやフェイスブックなどの呼びかけで脱原発グループを中心に多くの人が集まり、警察関係者によると、参加者はこれまでで最大規模の２万人弱に上ったとみられる。大きな混乱はなかった。

産経新聞

「脱原発」官邸前埋める

関西電力大飯原発（福井県）の再起動を7月1日に控え、市民らの抗議行動が29日夜、東京・首相官邸前であった。ツイッターなどの呼びかけに応じて集まった人々が道路を埋め尽くし、「脱原発」への大きなうねりとなって官邸に迫った。主催者は15万～18万人が集まったとしている（警視庁調べでは約1万7千人）。

（仙波理撮影）▼39面＝各地に広がる

デジタル版に動画

朝日新聞

官邸前「反原発」人の波

関西電力大飯原発再稼働に抗議し、首相官邸（右上）前の道路を埋め尽くす人たち＝東京都千代田区で29日午後８時１分、藤井太郎撮影（社会面に記事）

毎日新聞

首相官邸前の道路を埋め尽くし原発再稼働反対を訴える人たち。右上は国会議事堂＝29日午後7時43分、東京・永田町で（中嶋大撮影）

膨れあがる再稼働反対

官邸前デモ

「子どもの未来 守るためにも」

関西電力大飯《おおい》原発3、4号機（福井県おおい町）の再稼働決定の撤回を求めるデモが二十九日夜、首相官邸周辺（東京都千代田区）であり、市民らが「再稼働反対」「原発いらない」と官邸に向かって声を上げた。関電は七月一日に3号機の原子炉を起動する準備を進めており、再稼働を前に徹底抗戦の場となった。

＝関連㉘面

複数の市民グループ有志でつくる「首都圏反原発連合」がツイッターなどで呼び掛け、三月末から毎週末、官邸前で実施。政府の再稼働方針に反対している。参加者数は回を追うごとに増え、この日は官邸前から霞が関の財務省前まで七百㍍ほ

は太鼓をたたいたり、反原発をデザインした自転車で走る人も。

参加した出版社社長の冨澤昇さん(60)＝東京都府中市＝は「3号機を動かして他の原発も再稼働するという政府の考えが見える。そもそも地震大国の日本に原発をつくるのが間違い」と批判した。

同僚を誘って二度目の参加という会社員の岩渕政史さん(34)＝墨田区＝は、これまでにない参加者の多さに驚きながら「首相は国民の目線と全然違う。日本をこれ以上汚す気か」と憤慨した。

二歳の男児を抱いて

首相、立ち止まらず

野田佳彦首相は二十九日午後七時前、関西電力大飯原発の再稼働に反対するデモの声が響く中、官邸から敷地内にある公邸に歩いて移動した。

途中、公邸の門のあたりで警護官（SP）に「大きな音だね」と話し掛けたが、立ち止まらずに公邸に入った。

首相は二十五日、官邸周辺のデモについて「シュプレヒコールもよく聞こえている」と国会答弁したが、再稼働方針を見直す考えがないことを強調している。

大飯3号機 あす原子炉再起動

再稼働に向けた準備が進む大飯原発3号機で七月一日午後九時、原子炉を起動し核分裂反応が始まる。順調に進めば四日にも発電を始める。五月五日以来続く「原発ゼロ」は二カ

東京新聞

化する際の報道スタンスを表わしている。デモや集会は、個人レベルで一般市民が自らの意思を表現するための数少ない手段であり、もっとも原始的（プリミティブ）ではあるが、重要かつ貴重な表現の自由の行使形態である。したがって、社会はその自由を最大限認める必要があるし、政治はその市民の声を真摯に受け止めて、政策に反映させる必要がある。その仲介役の一つがメディアであって、デモや集会を報じることは、どのような市民の声が街にあるのかを示す、極めて客観的かつ重要な「事実」報道である。

もちろん、扱いの判断はさまざまであることが好ましい。その結果として、千差万別の紙面が展開されることは、「健全」なメディア状況、表現活動が存在していることの証左でもある。小さな扱いの社には当然、それなりの理屈が考えられる。たとえば、大飯原発再稼働の政治決定はすでになされており、それが覆る可能性はほぼゼロであって、その意味において市民の抗議活動が政治に与えるインパクトはないに等しく、それゆえ報道価値も低いという論理である。あるいは、デモに参加する「一部」の市民の声を紙面化することで過大に評価し、誤った政治的影響を与える可能性を指摘する声もある。

したがって、デモという形で現われた市民の声を、意図的に大きく扱うこともできれば小さく扱うこともできるし、それは一つの価値判断といえなくもない。しかし少なくとも、最初に述べたような社会的なニュース（新しい出来事という意味での「ニュース」）価値がある官邸前デモを、事実上「伝えない」という選択肢は、あまりに市民との距離がありすぎはしないだろうか。それはまた、政治や社会制度に対する市民の疑問や変化を求める声を、メディアが十分に理解していないとみられることにつながり、そうなると、そうしたメディアを、市民の知る権利の代行者として社会的に認めてよいのかといった、大きな命題にも関わってくる。

ここで具体的に示した報道の対応は、約十万人を集めた七月十六日の脱原発集会などにも、おおよそ当てはまる。ただしこうしたデモや集会が今後どのように変わっていくかにつれて、報道も難しい局面を迎えていくことだろう。たとえば、七月にはいってからの官邸前デモは、「微笑《ほほえ》みの統制」とでも呼べるような状況が現出している。ひどく愛想がよい警察官と、大勢いる私服警官、そして一方で、時に威圧的に感じられる主催者運営スタッフ――その微妙な関係は、関連する他の抗議行動や集会でも共通だ（呼びかけ人の一人は、左翼とネット右翼排除のためにも、警察の協力は必要と述べる）。

大規模な集会やデモを、一定の秩序をもって実行しようとした場合、主催者が警察の「協力」を仰ぐことはあってもよかろう。無用な混乱を事前に回避し、集会やデモの目的を達成するための「知恵」でもある。しかし一方で、主催者が警察側の用意した機材を使って行動の自制を呼びかけたり、警察が「暑さに気をつけて、いってらっしゃい」と警察車両のスピーカーでデモ隊を見送る光景は、平和なニッポンを象徴するとはいえ、違和感を禁じえない。

今後、こうした直接行動が当分は続き、それが、場合によっては政治的選択を示す行動と一体化していくことも想定される。そうした際に、表現の自由を行使する側と、規制する側の関係を、メディアがどのように報じるかもまた、新たな課題として浮かび上がってくることだろう。

そしてもう一つは、抗議行動が長期化する中で、報道量が極端に減少する状況をどう評価するかだ。確かに、参加者は一時の十万人単位から一万人前後になっているように見受けられる。しかし、半年以上も毎週、万単位の人が「自然発生的」に集まり続けること自体、ある種のニュース（新しい出来事）に違いなかろう。報道機関は一般に、こうした「変わらず継続している」事実を伝えることが苦手だ。変わらないことはニュースでない、との旧来型の報道判断基準に縛られているからである。

しかも、報道しないメディアが、報道しようとするメディアの邪魔をするという事態も生じている。二〇一二年秋以降顕在化したことだが、国会記者会館という、官邸前の大手報道機関の取材拠点への、市民メディアやフリージャーナリストの立ち入りを拒否したために、入れる入れないの裁判沙汰にまでなっているのだ（屋上裁判と呼ばれている）。この建物は、官邸前デモの取材ポイントとしてベストとされているので、こうしたオルタナティブメディアの取材を既存メディアが妨害するのは、見ようによっては意図的にデモを報道しないため、あるいはさせないためであると勘ぐられかねない。

そして、結果としていちばん被害をこうむるのは、取材・報道がないことによって、デモに関する情報を得ることができない一般市民である、というのが悲しい。

2　原発再稼働の伝え方

では、次に在京各紙の原発報道を比較してみよう。同じ日の紙面で、各紙の原発および原子力行政へのスタンスが明瞭になった出来事としては、五月五日にすべての原発が停止した〈原発ゼロ〉を伝える紙面や、大飯原発再稼働に向けての政治ステップを伝える紙面などがある。ここではそのなかでも、野田佳彦首相（当時）が大飯原発再稼働を臨時記者会見で宣言したことを伝える、六月九日の各紙朝刊の見出しを並べてみよう（いずれも、1行目は横見出し、2行目は縦見出し）。

・読売　原発再稼働で「生活守る」　（二三頁図上）
首相「夏限定」否定／中長期の重要電源

原発再稼働で「生活守る」

首相「夏限定」否定

中長期の重要電源

野田首相は8日、首相官邸で記者会見し、関西電力大飯原子力発電所3、4号機（福井県おおい町）について、国民生活を守るため、早期の再稼働が必要だと判断したと表明した。そのうえで、中長期的に原発を重要な電源と位置付ける考えを示した。大飯原発の地元・福井県は再稼働に同意する見通しで、政府は来週中にも同原発の再稼働を最終決定する方針だ。〈会見の全文11面、首相ぶれず3面、関連記事2・4・8・38面〉

大飯原発再稼働で想定される今後のスケジュール

6月10日	福井県原子力安全専門委が安全性を判断
12日?	おおい町長が再稼働に同意
13日か14日	福井県議会が再稼働の判断を知事に一任
来週中?	福井県知事が再稼働に同意
	首相と関係閣僚による会合で再稼働を正式決定
7月2日	政府が全国に節電要請
7月上旬?	大飯3号機がフル稼働
7月下旬?	大飯4号機がフル稼働

大飯再開を明言

首相は大飯原発について、「再起動すべきというのが私の判断だ」と述べ、福井県や同県おおい町に対して再稼働への理解を改めて求めた。また「夏場限定の再稼働では国民の生活は守れない」と語り、橋下徹大阪市長らが求めた今夏に限定した再稼働を否定した。

再稼働がない場合の影響について、電力価格の高騰で産業が空洞化し、雇用の場が失われる可能性や、突発的な停電により病院などで生命の危険にさらされる人が出ることを挙げた。

記者会見する野田首相（8日夕、首相官邸で）＝清水敏明撮影

動画はYOLで

首相会見のポイント

国民生活への影響

原子力発電を止めたままでは日本の社会は立ちゆきません。突発的な停電が起これば、命の危険にさらされる人がいます。空洞化が加速して雇用の場が失われます。夏場限定の再稼働では、国民の生活は守れません。

立地自治体

私たちは豊かで人間らしい暮らしを電力供給地に頼って実現してきました。関西を支えてきたのが福井県であり、おおい町です。立地自治体への敬意と感謝の念を新たにしなければなりません。

再稼働判断

国民の生活を守るために、大飯発電所3、4号機を再起動すべきというのが私の判断であります。国政を預かる者として、人々の日常の暮らしを守るという責務を放棄することはできません。

読売新聞

首相「大飯再稼働すべきだ」

地元要請ようやくクリア

夏限定否定、16日にも決定

野田佳彦首相＝写真（古厩正樹撮影）＝は8日、官邸で記者会見し、関西電力大飯原発3、4号機（福井県おおい町）について「国民生活を守るため再稼働すべきだというのが私の判断だ」と表明した。国民に向けたメッセージは福井県の西川一誠知事が再稼働の条件として求めていたもので、知事は週明けに同意手続きを再開する。同意が得られれば首相は16日にも枝野幸男経済産業相ら関係3閣僚との会合を開き再稼働を決定する。

首相は「電力供給の3割を担ってきた原発が停止したままでは日本の社会は立ちゆかない」と述べ、原発の再稼働が不可欠との認識を示した。大阪市の橋下徹市長らが求めている夏場に限定した再稼働に関しては「化石燃料への依存を増やし電力価格が高騰すれば中小企業や家庭にも影響が及ぶ」と否定した。首相は「東京電力福島第1原発事故の時のような地震や津波が起きても事故は防止できる」と安全対策に自信を示した。

西川氏は首相発言を「重く受け止めている」としたうえで、自らによる現地確認などを経て「県としての判断を行う」とのコメントを発表した。福井県は10日に県原子力安全専門委員会を開き、政府の安全基準などを「妥当」とする報告書を知事に提出。福井県議会とおおい町の時岡忍町長の同意も得られれば、知事が最終的に同意を判断する。知事は政府側に16日に上京し、首相と会談したいとの意向を伝えてきている。首相は会談後に3閣僚会合を開く方向で調整に入った。

＝2面に「主張」、3面に「なお電力不足」、5面に会見要旨

「国民生活を守るため」

野田佳彦首相は関西電力大飯原発3、4号機再稼働の必要性を強調し、福井県の西川一誠知事の要請をクリアした。当初は難色を示したが県側の手続きが事実上停止したため方針転換せざるをえなかった。事態がここまで混迷したのは国と地元の意思疎通が欠け、溝が埋まらなかったせいだ。

「私たちは大都市の豊かな暮らしを電力供給地に頼ってきた。関西を支えてきたのが福井県、おおい町だ」

会見で首相は、西川氏や時岡忍おおい町長に「敬意と感謝の念」を示した。「国の責務」を繰り返し、「国論を二分している状況で結論を出すのが私の責務」とも言い切った。地元自治体に批判が集まるのを防ぐため、自らが再稼働の旗振り役であることを印象付けようとした。

首相は当初、関電管内で節電要請が始まる7月2日に間に合わせるため、5月中に地元から再稼働の同意を得ることを目指してきたが6月にずれ込んだ。

首相は4日の記者会見で再稼働の必要性を訴えており、今週2度目の記者会見は想定外だった。政府高官の一人は記者会見開催を「知事が同意する保証がない」と渋った。それでも今夏の電力不足回避のカギを握る福井県側の要求をのむしか選択肢はなかった。

5月の北海道電力泊原発3号機（泊村）の定期検査入りによる「原発ゼロ」を懸念した首相は、大型連休前の大飯原発再稼働を狙っていた。だが、原子力規制庁を予定通り4月1日に発足させられなかったことに福井県や近隣府県が反発し、シナリオは崩れた。

4月には「次善の策」として四国電力伊方原発3号機（愛媛県伊方町）の再稼働を模索した。大飯原発よりも周辺自治体の理解が得られやすいとみたからだ。ところが、原子力安全委員会の班目春樹委員長がストレステスト（耐性検査）の1次評価を規制庁設置後に

想定される大飯原発3、4号機の再稼働までの流れ

[illegible]	野田首相が記者会見で、再稼働の必要性を国民に説明
[illegible]	福井県が原子力安全専門委員会を開催し、安全性を判断
[illegible]	県議会が全員協議会を開催
	県知事、おおい町長が再稼働に同意
[illegible]	政府が4大臣会合を開き、再稼働を正式決定
7月2日	関電管内で15%以上の節電開始
[illegible]	3号機がフル稼働?
[illegible]	近畿地方が梅雨明け
[illegible]	4号機がフル稼働?

産経新聞

原発なし「日本立ち行かず」

大飯再稼働を来週決定

首相会見

野田佳彦首相は8日夕、首相官邸で記者会見し、関西電力大飯原子力発電所3、4号機（福井県おおい町）の再稼働が必要だと明言した。「国民の生活を守るために再稼働すべきだというのが私の判断だ」と表明。日常生活だけでなく経済活動やエネルギー安全保障の視点からも原発なしでは日本社会は立ち行かないとして「原発は重要な電源だ」と強調した。（関連記事3、4面に）

福井知事、同意へ

首相会見を受け、福井県の西川一誠知事は同日夜、「首相の強い思いを国民に向けてしっかり語っていただいたものと重く受け止めている」との談話を発表。再稼働に向けた手続きを進める考えを明らかにした。

県は原子力安全専門委員会を10日に開き、再稼働の安全性を確認。12日にも県議会各会派の代表者会議を、14日にも県議会の全員協議会をそれぞれ開く予定だ。この間におおい町の時岡忍町長から了承を得る。15日にも知事が再稼働に同意する方向で調整している。これを受け、政府は来週中に首相と関係3閣僚が協議し再稼働を最終決定する。この際に西川知事が上京し、県の了承を正式に伝える見通しだ。

政府は大飯原発を再稼

記者会見する野田首相（8日、首相官邸）

大飯原発3、4号機再稼働までの流れ

- 野田首相が再稼働に理解を求める記者会見（6月8日）
- ↓
- 福井県原子力安全専門委員会が安全性を確認（10日）
- ↓
- 県議会の全員協議会（14日？）
- ↓
- 福井県が再稼働に同意（15日？）
- ↓
- 首相と枝野経産相ら関係3閣僚が会合を開き、再稼働を最終決定（15日か16日？）
- ↓
- まず3号機の機器や配管を検査（3週間程度）
- ↓
- 3号機を再稼働（7月上旬？）
- ↓
- 4号機も検査、再稼働（3週間程度）
- ↓
- 2基がフル稼働（7月下旬？）

日経新聞

（2012年6月9日朝刊、縮尺は共通）

大飯再稼働 16日にも決定

首相「日本立ちゆかぬ」

福井知事「重く受け止める」

野田佳彦首相は8日夕、首相官邸で記者会見し、関西電力大飯原発3、4号機（福井県おおい町）について「原発は重要な電源だ。国民生活を守るために再起動すべきだというのが私の判断だ」と初めて明言し、国民や立地自治体に理解を求めた。福井県の西川一誠知事は首相の会見を評価し、再稼働の同意手続きに入る意向を表明した。政府は県の同意を得て16日にも再稼働を正式決定する。（2、3面にクローズアップ、社会面に関連記事）

「夏限定」を否定

福井県は8日夜、安全性を検証する県原子力安全専門委員会（委員長・中川英之福井大名誉教授）を10日に開くと発表した。

会見で、首相は再稼働を「国論を二分する問題」としつつも、国の責務として「日常生活への悪影響をできるだけ避ける。原発を止めたままでは日本社会は立ちゆかない」と断言した。大飯原発を再稼働しない場合、関西で今夏に15％の電力不足が予測されていることを根拠に、「昨年の原発事故でも（この水準の節電は）体験していない。現実的に厳しいハードルだ」と述べ、再稼働の正当性を訴えた。

さらに突発的な停電による人命の危険、計画停電による経済の混乱などの懸念も理由に挙げた。とりわけ、化石燃料への依存を高めれば電力料金の高騰につながるとし、「夏場限定の再稼働では国民生活は守れない」と強調。大阪市の橋下徹市長らが主張する「限定的な再稼働」を否定した。

一方、首相は東京電力福島第1原発事故を踏まえて「事故は決して起こさない」と改めて決意を表明。事故の被害者に呼びかける形で「複雑な気持ちはよく理解できるが、暮らしを守る（首相の）責務は放棄できない」と理解を求めた。

また政府と電力各社が講じている安全対策を列挙し、大飯原発では「国の責任で特別な

大飯原発3、4号機の再稼働に理解を求める記者会見で、質問に答える野田佳彦首相＝首相官邸で8日（代表撮影）

知事 原発視察へ

福井県の西川一誠知事は8日夜、野田佳彦首相の記者会見を受けてコメントを発表した。西川知事は「原子力発電に対する政府の基本的考えと首相の強い思いを、国民に向けてしっかり語っていただいたと重く受け止め

大飯原発再稼働までの流れ

8日 野田首相が「国民生活を守るため再稼働すべきだ」と記者会見で表明
↓
福井県原子力安全専門委が安全性を確認（10日以降）
↓
福井県議会が再稼働に同意 ／ おおい町長が再稼働に同意
↓
福井県知事が再稼働に同意
↓
首相と3閣僚が再稼働を正式決定
↓
再稼働

毎日新聞

大飯原発を再稼働

福井知事が事実上同意

首相、16日にも決定

関西電力大飯原発3、4号機（福井県おおい町）の再稼働をめぐり、野田佳彦首相は16日にも関係3閣僚との会合を開き、再稼働を正式決定する方向で調整していることが8日、複数の関係者への取材で分かった。福井県の西川一誠知事が16日にも上京して同意を報告する見込み。東京電力福島第1原発事故後、初めての原発再稼働は秒読み段階に入った。

＝会見要旨2面、関連記事21面に

大飯原発の再稼働までの流れ

6月4日 細野原発事故担当相が福井県訪問
↓
8日 野田首相が会見で原発の必要性を説明
↓
県原子力安全専門委が安全性を確認
↓
県議会が同意 ／ おおい町長が同意
↓
知事が同意
↓
野田首相と関係3閣僚が最終判断

来週中？

首相は8日夕、官邸で記者会見し「国民の生活を守るため、大飯3、4号機を再起動すべきだというのが私の判断だ」と表明。これを受け、西川知事は「重く受け止める」とコメントし、事実上同意する意向を示した。

また福井県は8日夜、再稼働の安全性を検証する「県原子力安全専門委員会」を10日に開催すると発表し、止まっていた同意に向けた県の手続きが動きだした。知事は同意前に原発を視察する。

西川知事は、首相が原発の重要性を表明することを同意の条件として要求していた。おおい町の時岡忍町長も8日、「納得できた」と首相発言を歓迎。12日からの町議会で再稼働を容認する意向を表明する。

首相は会見で、京都府や大阪市など関西圏の自治体が求める夏季限定の再稼働は「今、原発を止めてしまっては日本の社会は立ち行かない」と否定。計画停電や電力料金の高騰による生活や経済への影響を避けるため、原発は電力需要期に

かかもと、た。

また立

「関西を

井県とお

感謝の念

ばならな

の原発も

に個別に

西川知

や県議会

え、県と

に決める

意報告を

閣僚との

働を決め

「やむを得ない」

黒岩知事

「脱原発」を旗印にする黒岩祐治知事は「今回は（再稼働は）やむを得ないと受け止めている」と述べ、政府の判断を容認する姿勢を示した。野田首相の会見を受け8日夜、横浜市中区内で記者団に答えた。

知事は「安全性の確保とは何か。難しい決断だ」とした上で、「地元の知事の皆さんが再稼働を認めるというのなら、ある意味では自然な流れだ」と、周辺自治体の意向を尊重する立場からも理解を示した。

再稼働が太陽光発電普及の動きに影響するか、との問いには「それはない。太陽光発電は加速する流れができている。将来的には原発がなくてもやっていけるエネルギー体系をつくる勢いでやっていく」と述べた。

（鈴木 達也）

対話ミスが

東京電力の清水正孝前社長が8日、国会が設置した福島第1原発事故調査委員会（黒川

人聴取に

況が深刻

神奈川新聞

（2012年6月9日朝刊、縮尺は共通）

大飯原発 再稼働へ

首相、安全策を強調

福井県、同意へ手続き

野田佳彦首相は8日夕、首相官邸で記者会見し、関西電力大飯原発3、4号機（福井県おおい町）について「国民生活を守るため、再稼働すべきだというのが私の判断だ。立地自治体のご理解をいただいたところで再稼働の手続きを進めたい」と表明した。福井県の西川一誠知事は同意手続きを進める意向を示すコメントを発表。首相は来週中にも関係閣僚会合を開き、再稼働を最終決定する。▼2面＝とにかく再稼働、4面＝会見の要旨、36面＝脱原発派は失望

夏場限定を否定 首相

国内にある50基の原発は今年5月5日にすべて停止した。再稼働すれば、昨年3月の東京電力福島第一原発の事故後、大飯原発が初めてのケースとなる。手続きが順調に進めば7月上旬にも1基目が再稼働する。

大飯原発再稼働について会見する野田首相＝8日午後

首相は会見で「電力供給の約3割を担ってきた原発を止めてしまっては、日本の社会は立ちゆかない。エネルギー安全保障の視点からも原発は重要な電源だ」と強調。関電管内の15%の電力不足は震災後の東日本でも体験しなかった水準だとしたうえで「計画停電や突発的な停電が起きれば、日常生活や経済活動は大きく混乱する」と述べ、再稼働への理解を求めた。

橋下徹・大阪市長らは「夏場に限った臨時稼働」を提案しているが、首相は「夏場限定の再稼働では国民の生活は守れない」と明確に否定。一方で「政権としては原発への依存度を可能な限り減らす方向で検討してきた」とも述べ、中長期的な電源構成などを盛り込んだエネルギー基本計画を8月をめどにまとめるとした。

再稼働の前提となる大飯原発の安全性については「福島を襲ったような地震・津波が起きても事故を防止できる対策と態勢は整っている」と説明。再稼働を判断する根拠にした安全基準は「暫定的なもので、新たな規制が発足した時点で見直していく」と語り、修正協議が大詰めを迎えた新たな原子力規制組織の発足後に見直す考えを示した。

会見は西川知事の求めに応じて開いた。首相は「関西を支えてきたのが福井

首相会見ポイント

- 国民の生活を守るため、再稼働すべきだというのが私の判断だ
- 立地自治体の理解を得たところで再稼働の手続きを進める
- 安全判断の基準は暫定的であり、新たな原子力規制組織の発足後に見直す
- 夏場限定の再稼働では国民の生活は守れない

関西電力大飯原発の再稼働で想定される日程

	野田首相が記者会見で再稼働の必要性を表明
10日	福井県原子力安全専門委が「安全宣言」
?	福井県議会が全員協議会で西川福井県知事に一任
?	おおい町長が再稼働に同意表明
16日?	西川知事が首相に同意を伝達
	野田政権が関係閣僚会合を開き、再稼働を正式決定
18～19日	メキシコで主要20カ国・地域首脳会議（G20サミット）
7月2日	関西電力管内に15%の節電要請開始
	大飯原発3号機がフル稼働
	大飯原発4号機がフル稼働

朝日新聞

確証なき安全宣言

「大飯再稼働すべき」

首相 来週にも決定

野田佳彦首相は八日、官邸で記者会見し、関西電力大飯原発3、4号機（福井県おおい町）に関し「再稼働すべきだというのが私の判断だ」と表明した。東京電力福島第一原発事故の原因究明が途上にもかかわらず、首相は夏の電力確保や原発の継続性を重視。福井県の理解を得る前に最終決断の意思を示す必要があると判断した。国民に広がる安全への不安を解消できないまま、政府は再稼働に突き進み、来週にも最終決定する。＝関連②③㉖㉗㉘㉙面

夏限定も否定

首相は再稼働の必要性を「原発を止めたままでは日本の社会は立ちゆかない」と強調。「（関電管内が）計画停電になれば、命の危険にさらされる人、働く場がなくなってしまう人も出る。私がよって立つ唯一絶対の判断の基軸だ」と述べた。

再稼働した場合の安全面では、専門家による議論を重ねたと説明し「福島を襲ったような地震、津波が起きても事故を防止できる」と断言した。

周辺自治体が求める夏場限定の再稼働にとどめる可能性は「夏限定では国民の生活を守れない」と否定した。

大飯原発以外の再稼働方針は「個別に安全性を判断していく」と述べるにとどめた。

福井県の西川一誠知事は首相の会見を評価し、十日に再稼働の安全性を検証する県原子力安全専門委員会を開く。同委と県議会、おおい町の意見を聴き、再稼働の同意を判断する。政府は知事の同意を受け、首相と関係三閣僚の会合で再稼働を最終決定する。

重く受け止める

西川一誠福井県知事のコメント　野田首相から原発に対する政府の基本的な考えと、首相の強い思いを国民に向けてしっかり語っていただいたと重く受け止めている。大飯原発の運転再開の判断では、福島のような事故を絶対に起こさせないとの強い決意で臨みたい。県原子力安全専門委員会、おおい町、県議会の意見を聴き、県として判断する。

「事故防げる」根拠どこに

東京電力福島第一原発事故を受けた緊急安全対策により、重大事故は起きないはずだが、「念のため」の対策はとりあえずなくても大丈夫—。政府が強調する大飯原発の安全性とは、この程度のものだ。崩れた「安全神話」への逆戻りそのものだ。

完了したのは、非常用の電源や冷却ポンプの多様化など必要最小限の対策までだ。

実際の事故のとき、被害をどう最小限に抑えるか、これらを検証する安全評価（ストレステスト）の二次評価は、関電を含め一社も評価をしていない。

政府は、再稼働を優先し、重要な対策でも時間のかかるものは先送りを認めた。

まずは免震施設。福島の事故では最前線基地となり、現在も現地対策本部が置かれている。「あれがなかったら、と思うとぞっとする」。東電の清水正孝前社長が八日の国会事故調でこう語った施設だ。それでも当初の放射能防護は不十分で、作業員たちを十分には守れなかった。

野田首相が大飯原発の再稼働を判断した理由

- すべての電源が失われる事態でも、炉心損傷に至らないと確認した
- 1年以上の時間をかけ、専門家による40回以上の公開の議論を通じて安全性を確認した
- 最新の知見に基づく30項目の（安全）対策を、期限を区切って実施するように関電に要請した
- （新たな原子力規制組織が発足するまで）国の一元的な責任のもとで特別な監視態勢を構築し、万が一の場合の指揮命令系統を明確化する
- 関西での15%もの電力需給ギャップは厳しいハードル。計画停電や突発的な停電になれば、命の危険にさらされる人、仕事が成り立たなくなる人が出る
- 化石燃料への依存を増やして電力価格が高騰すれば、小売店や中小企業、家庭に影響が及ぶ

原発内外とも安全対策の課題が山積み

- ※作業員を守る免震施設の整備は数年先
- ※ベント（排気）フィルターの設置はまだ検討段階
- ※熱を逃がす海水ポンプを守る防潮堤は数年先
- ※起きた事故をいかに最小限にとどめるか検証が不足
- ※原子力安全委は「安全」と評価していない

- ※対策拠点（オフサイトセンター）の見直しは手つかず
- ※広域での連携協議が不足
- ※避難計画の見直しは途中段階
- ※30キロ圏までのモニタリングポスト設置は手つかず
- ※30キロ圏での安定ヨウ素剤の備蓄・配備は遅れ気味

東京新聞

・産経　「国民生活を守るため」　（二三頁図中）
首相「大飯再稼働すべきだ」／地元要請ようやくクリア
・日経　（横見出しなし）　（二三頁図下）
原発なし「日本立ち行かず」／大飯再稼働を来週決定
・毎日　大飯再稼働　16日にも決定　（二四頁図上）
首相「日本立ちゆかぬ」／福井知事「重く受け止める」
・神奈川　大飯原発を再稼働　（二四頁図下）
首相、16日にも決定／福井知事が事実上同意
・朝日　大飯原発　再稼働へ　（二五頁図上）
首相、安全策を強調／福井県、同意へ手続き
・東京　確証なき安全宣言　（二五頁図下）
「大飯再稼働すべき」／首相　来週にも決定

ここからわかることは、各紙の再稼働に対する姿勢であって、ちょうど四グループに分かれる。読売と産経は、「生活を守る」ためには再稼働が必要であることを、見出しで強く訴える。日経と毎日は、首相の「立ち行かぬ」発言を引いて、翌週に政治決断があることを伝える。朝日と神奈川は、「原発再稼働」が決まったことを見出しに謳っている。そしてここでも東京は独自路線で、見出しで首相の再稼働決断を批判していることは一目瞭然だ。さらに中面では、「計画停電で『恫喝』」と、一歩踏み込んだ表現で、政府の決断を批判する。

社説と一般紙面作りで多少のずれはあるものの、この日の紙面は、各紙の原子力行政に対するおお

よそのスタンスを物語っており、それは〈原発容認・推進〉の読売、産経、日経に対し、〈脱・反原発〉の朝日、毎日、東京、という構図になっている。

なお、当日に社説で触れたのは以下の各紙で、毎日、日経、神奈川の各紙にはなかった。

・読売　大飯再稼働へ／国民生活を守る首相の決断
・産経　大飯原発と首相／再稼働の決断を支持する
・朝日　首相会見／脱原発依存はどこへ
・東京　「大飯」再稼働会見／国民を守るつもりなら

このなかで朝日のスタンスは微妙で、基本的には政権に「寄り添う」姿勢を見せ続けている。それは、今回の原発に限らず、沖縄基地問題などでもうかがえる朝日の紙面の特徴でもある。原発問題と沖縄基地問題は、紙面展開の特徴に共通点がみられることから、原発からは少し離れるものの、沖縄地元紙（ここでは琉球新報）と、在京紙（ここでは朝日と読売）の紙面を紹介しておきたい。

調査手法は、二〇一〇年三月から一一年七月までの記事から、反対集会、基地、事件・事故、環境というテーマごとに抜き出した。そうするとたとえば琉球新報は、一〇年四月の県民集会、翌月の反対運動、九月の名護市長選などでみても、基地の県内移設により、生活への支障や危険が沖縄に残ることを、一貫して問題視していることがわかる。これに対し読売は、普天間基地の固定化を懸念する記述が全体的にみられ、固定化を避けることができるならば、現実的選択肢としては辺野古移設が好ましい、との主張に繋がっている。その結果、一〇年九月の段階では、移設反対の琉球新報、容認の読売と、その中間に位置する朝日という、三紙それぞれの立ち位置が浮き彫りになっていた。

また、在京紙を時系列で追うと、意見が一貫していないことがわかる。読売は四月段階では賛否を明言せず、九月になると政府の意向である県内移設へと、踏み込む形となっている。朝日も、移設を困難視した四月からは、一歩引いた立場に留まった。この間、政府の意向が県内へと傾いたことにより、沖縄と政府の対立が明確化し、在京紙の意見が変化したものと考えられる。これを社説からみると、朝日の場合、一時は消えた「一基地の問題が日米関係の大局を見失わせた」といった日米同盟の深化を求める社説が、鳩山首相退陣後に復活している。この点、読売は常に政権批判の論調でブレがない。

また、琉球新報には県民の声が数多く紹介されているのに比して、在京紙とりわけ読売には、市民の声がほとんど登場しないのも特徴である。量でみても在京紙は、鳩山政権時は大々的な報道が目立ったのに対し、首相交代後は徐々に減少したほか、環境問題など基地との直接的関係が見えづらい内容は、ほとんど報じられない傾向にある。

なお、原発（あるいは原子力行政）に対する地方紙を含む日本全国の新聞のスタンスは、二〇一二年夏現在においても、いまだ確定的なものではない。そもそも、将来的にはエネルギー転換を図るべしとの考え方と、「脱原発依存」は基本的に同義であって、それと現在の日本経済および国民生活のために原発を再稼働させることは矛盾しない、というのが民主党政権の立場であった。こうした考え方が脱原発なのか、原発容認なのかを判断しようとすると、総論あるいは長期見通しとしては脱原発といえなくもない、という判断の難しいことになる。

この「脱原発依存」という言葉に象徴される曖昧さこそが、野田政権の真骨頂ともいえた。これは、二〇一一年七月十三日の菅直人首相（当時）の「脱原発宣言」からの、明らかな政策転換である。したがって二〇一二年九月に、「二〇三〇年代原発ゼロ」をエネルギー基本計画として策定したかと思えば、同じ月のうちに整合性が疑われる新規原発建設の設置許可を出し、プルトニウム再処理計画の継続を謳ってもそこに矛盾はない、とするわけである。

問題はそうした明らかな矛盾を、結果的に見過ごす大方のメディアにあるだろう。それはまさに、「脱原発依存」という基本方針が意味する言葉の定義すら、「あえて」明らかにすることなく、意図的な政府のごまかしをそのまま受け入れ続けているといえるからである。少なくとも「脱原発」は、多少の期間の違いはあっても将来原発をゼロにする、という点でははっきりしている言葉だ。

それに対して「脱原発依存」は、可能性としてのゼロはあっても、原発への依存を脱すという意味では、原発を残す選択肢も含まれている。まさに、政策決定も政治責任も先送りした独特の「政治用語」であって、そうした語意を知っていながら、政府がさも原発ゼロを目指しているかのような報道は正確さに欠ける（原発容認の自民党への政権交代を受け、報道はさらに複雑化している）。

しかも折々の局面によって、微妙に紙面作りを変える場合が少なからずあって、総論賛成・各論反対（すなわち地元の原発依存自治体には配慮しなくてはいけないという立場）もあるし、すべての原発の再稼働に反対するのは現実的でないとするものから、あくまでも新規の建設は認めないという範囲での脱原発まで、相当に濃淡がある。これを二項対立的に〇か×かという分類をすること自体、問題であるかもしれない。いわんやテレビ局についていえば、放送が割くことができる限られた時間のなかで、その局の基本方針（考え方）を判断するのは、容易な作業ではない。

そうした批判や問題点をすべて背負ったうえで、あえて主要な原発立地県の県紙の六月九日の紙面を見てみよう。まずは被災地から（紙名のあとの丸囲み数字は、当日の1面における扱いの大きさを表わす。①はトップニュース、②は準トップ、③は三番手扱いをさす）。いずれも、記事の主要部分は共同通信からの配信と思われ、共通している。またそれに伴い、見出しの表現やトーンにも共通性が見られる。

・福島民報②　大飯原発　再稼働　16日にも決定
・福島民友①　大飯原発再稼働を要請／福井県合意　16日にも正式決定
　首相「国民生活守る」
・河北新報③　大飯再稼働　16日にも決定
・岩手日報②　大飯原発　再稼働16日にも決定
・東奥日報①　再稼働16日にも決定
　大飯原発　福井県知事同意へ／首相「国民生活守る」
・デーリー東北①　再稼働16日にも決定
　大飯原発　福井知事、同意報告へ

現在、日本の新聞の多数は、「脱原発」もしくは「脱原発依存」といえる（マスコミ倫理懇談会報告書『東日本大震災・原発事故と報道Ⅱ』によると、主要四十七紙中、六割にあたる二十八紙が「脱原発」、三割の十四紙が「減原発」という）。その意味で、先に示したように、明らかな「原発容認」（原発維持）の読売、産経の紙面は、新聞報道によって形成される言論公共空間の場において、意見の多様性を維持するうえで大変貴重である。一方で多数派の各紙は、現行の原発をどうするかについては相当に幅があり、むしろ再稼働については淡々とその事実を伝えるという紙面が多い。

この原発立地県各紙の記事見出しだけでは伝わらないが、二〇一二年夏時点において、青森・岩手・宮城・福島の四県のなかでは、県内に原発がない岩手日報がいち早く「脱原発」を主張し、自らの立場を明らかにしている。それに対し、県民の多くが原発に強い不信を強めるなか、そして県内自治体の多くも「非」原発姿勢を強める中で、福島の地元紙二紙は、「反」も「脱」も言い切れないいま時間が経過している（ただし原発比率削減については触れている）。それに近いのが、女川《おながわ》原発を擁する宮城県の河北新報で、行間に現われる心情は「脱」と理解できなくもないが、明確には言い切っていない、まさに「脱原発依存」型紙面である。青森の原発関連企業との関係もある東奥日報も、社説では脱依存を掲げるが、記事全体の印象では早急な転換には否定的で、原発容認の姿勢を変えていないともみられる。

こうした状況は、他の原発立地県の地方紙でもおおよそ同じである。これらは、新聞社が「誰」に寄り添って紙面を作っていくのかが、まさに問われているということであり、これまで同様に、中央政府・地元自治体そして地元経済界に寄り添い、住民にはそのつどいい顔をするというスタンスを取り続けることは、もはや限界にきている。

3　一年後の紙面を比較する

もう一つ、報道機関の立場を明らかにするために次に示すのは、震災から一年後の3・11の1面紙面の扱いである。震災直後の二〇一一年三月十二日もしくは十三日の紙面は、どの新聞も津波が町を襲う写真を大きく配したものであった。当時の紙面は、各社が記録版として出版物で刊行したり、社によってはウエブサイトで掲載を続けてもいるので、今後とも見る機会があるだろう。これらに比して、一年後の二〇一二年三月十一日もしくは十二日の紙面作りは、社によって大きく異なる。その違いは、一年間の時間の流れのなかで、新聞社が位置するそれぞれの地域が、被災地をどのように見ているかを表わしている。

全国の主たる新聞を地域別に五つのグループに分けて、1面の見出しを紹介する。以下のグループ分けは、紙面作りの違いでもあることが見えてくるはずだ（見出しの後ろの「特集」表記は、特別紙面編成〈特集紙面〉であることを明記しているもの）。

（1）津波被災地

・岩手日報（11日）命を刻む　生きてゆく（特集「鎮魂　復興　未来」）（三三頁図上）

同（12日）〈ラッピング包装の特別紙面＝1面と終面通しの見開き紙面〉岩手再興　手をつなぎ前を向いて誓い　祈り　県土包む／震災1年　合同追悼式

・東奥日報（11日）「最後まで頑張った」／3・11震災1年　あおもりは今

同（12日）3・11新たな出発／県内各地　鎮魂の祈り（特集）

・デーリー東北（11日）追悼、再起　節目の日（特集）

同（12日）復興の誓い　胸に／東日本大震災1年　鎮魂の祈り

・河北新報（11日）死者・不明者1万9009人（特集）

同（12日）3・11刻む　ともに生きる／東日本大震災1年（三三頁図下）

・茨城新聞（11日）34万人　いまだ避難（特集）

同（12日）鎮魂の祈り／被災各地で追悼行事（特集）

命を刻む 生きてゆく

東日本大震災・巨大津波1年

忘れない

宮古の山根さん 亡き母へ 前進誓う

「母に生かされた命」と思い、前を向いて歩いてきた。宮古市赤前の宮古商業高2年山根りんさん(17)は東日本大震災が発生した1年前のあの日、学校からの帰宅途中に津波に襲われた。海水を飲みながら必死にもがき、一命を取り留めたが、一緒にいた母ゆかりさん(42)は帰らぬ人になった。「毎日を生きることで精いっぱいだった」とりんさん。母の存在の大きさを日々感じながら、一日一日を生きてゆく。

「亡くなったお母さんの分も生きていく」と、強い思いで前を向く山根りんさん（右）、孝之さん親子＝10日、宮古市・堀内漁港

「ジャガイモあと何個ある」「バターは今使わないでしょ」

りんさんと父孝之さん(44)は10日、自宅でゆかりさんの得意料理だったカレーライスを作った。調理師の資格を持ち、何でも上手だったゆかりさん。この1年、母のいない台所で、りんさんが見よう見まねで作ってきた。

おいしいかはゆかり

県内

東日本大震災は11日、発生から1年を迎えた。県総合防災室の9日午後5時現在のまとめでは県内の死者は4671人、行方不明者は1249人で犠牲者は5920人に上る。沿岸被災地には今もがれきが山と積まれ、4万2515人が仮設住宅など1万7495戸に入居。基幹産業である水産業の本格復興はこれからだが、高台移転など生活再建への取り組みが具体化する中、復興への歩みを加速させる。

岩手日報（2012年3月11日）

3・11 刻む ともに生き

震災で亡くなった祖父の自宅跡で手を合わせる渡辺駿基さん(39)。この1年は「あっという間だった」。街をのみ込んだ津波の爪痕は、今も消えずに残っている＝11日午前6時30分ごろ、石巻市門脇町

東日本大震

大切な命が奪われた地で、手を合わせる。胸がふさがるあの日の記憶。時の流れの節目に、思いがあふれる。

東日本大震災から1年の11日、東北の被災地は祈りに包まれた。犠牲になった人たちへの鎮魂。ようやく進みつつある復興に託す願い。さまざまな思いが交錯した。

死者・行方不明者は1万9009人に上る。マグニチュード9・0の巨大地震は大津波を引き起こし、沿岸の街を次々とのみ込んだ。

ぷっつりと切られた日常。残る爪痕は大きい。

岩手、宮城、福島3県などでは、34万人以上が仮設住宅や民間借り上げ住宅で暮らす。福島第1原発事故の影響で、福島県では県内外へ16万人が避難したままだ。がれきの広域処理、高台への集団移転など復興策をめぐる重い課題が残る。

それでも被災者たちは立ち上がる。仮設の商店街には、かつての顔見知りが集い、笑い声が響く。浜には水揚げの、田畑には収穫の喜びが少しずつ戻っている。

あの日から1年。一歩でも前へ。祈りを希望の未来につなげたい。

被災各

ふるさと街

河北新報（2012年3月12日）

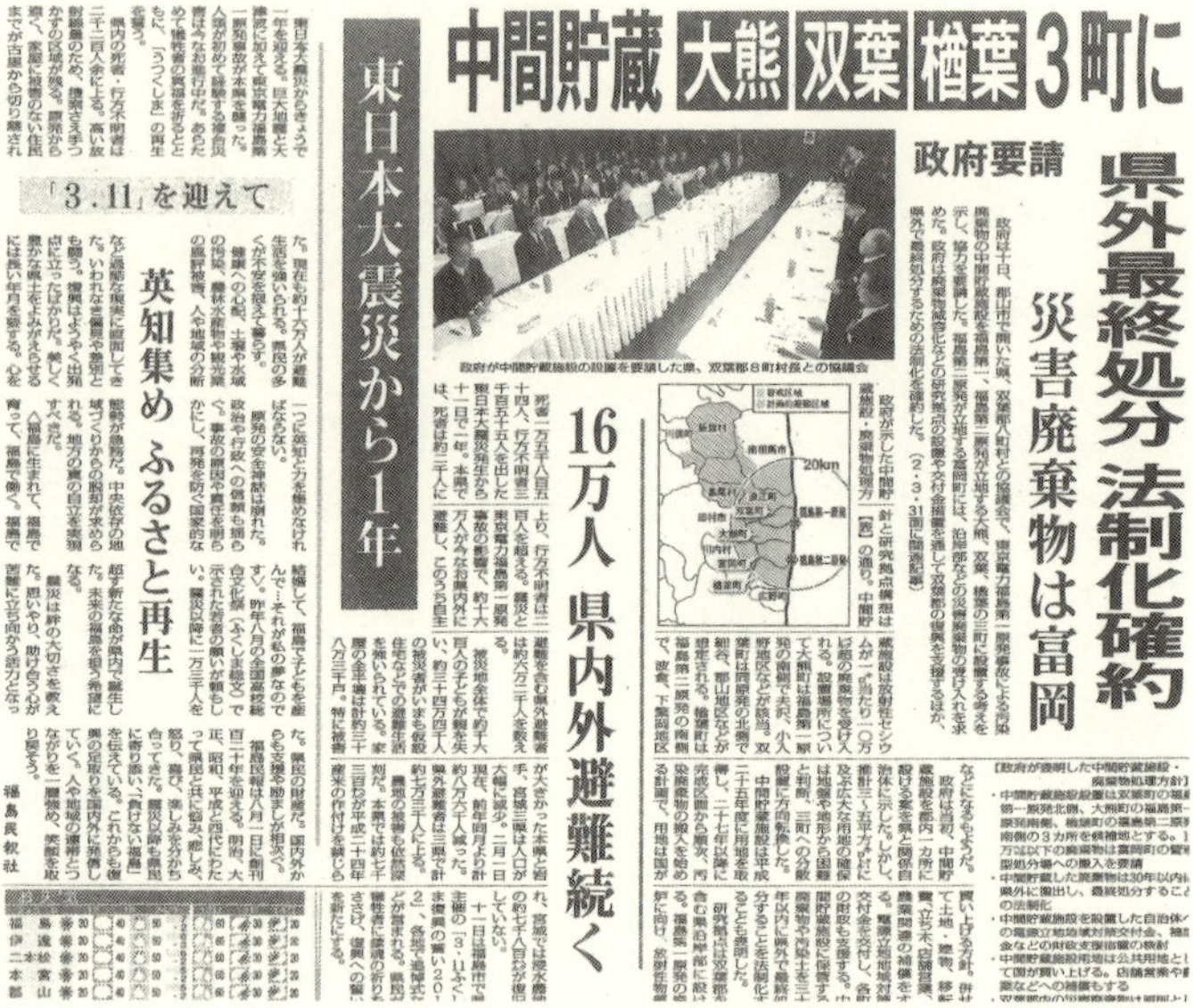

福島民報（2012年3月11日）

福島民友（2012年3月11日）

東日本大震災 きょう1年

家族離ればなれ 3割
仕事失ったまま 4割

家の土台だけが残る仙台市若林区荒浜地区。奥は市南部の街明かり＝10日午後6時14分、15秒間露光、矢木隆晴撮影

死者	1万5854人
行方不明者	3155人
避難者	34万3935人

死者・行方不明者数は2012年3月10日、避難者数は2月23日現在

東日本大震災は11日で発生から1年になる。死者・行方不明者は1万9千人に上り、仮設住宅などで避難生活を強いられている人も34万3千人を超える。東京電力福島第一原発事故があった福島県では、県外に避難した6万3千人が、見えない帰郷の日を今も待ち続ける。11日は各地で追悼行事や防災訓練が予定されている。一方、奪われた命や暮らしを少しでも取り戻すための「復興」の手立てはどこまで進んだか。被災地では、瓦礫《がれき》に希望を抱きながらも、進まぬがれき処理や除染、雇用対策など、震災後2年目に向けた課題は多い。

東日本大震災をきっかけに離れて暮らすようになった家族はいますか？

いる 32%　いない 68%

一緒に暮らせる見通しは？

立っている　立っていない 86%

千人の声

中間貯蔵施設 3…
双葉・大熊・楢葉 環境相、地元に

朝日新聞（2012年3月11日）

再生へ 底力今こそ

復興の歩みなお遅く

東日本大震災1年

東日本大震災から1年。日本経済は被災地や企業の努力によって瀬戸際から脱したが、復興の歩みはまだ遅く、原子力発電所事故の影響も大きく立ちはだかる。総額65兆円にのぼる未曽有の財政、金融政策で時間を買っている間に、産業空洞化の危機もじわじわと迫る。再生2年目を迎え、今こそ日本の底力を見せる時だ。

竹灯籠に灯をともし、犠牲者の冥福を祈る（10日夜、宮城県気仙沼市）＝写真 井上昭義

東日本大震災の被害状況

死者	1万5854人
関連死（日経まとめ）	1407人
行方不明	3155人
負傷	2万6992人
避難	34万3935人
建物全半壊	38万3246戸

人手不足深刻
「復旧に5年」

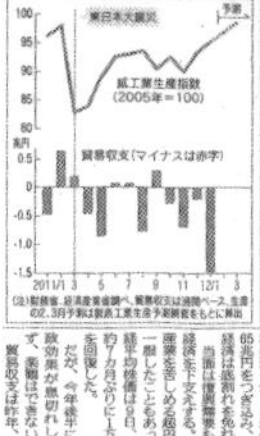

政府・日銀の「65兆円政策」

4兆円（1次 2011年5月）
2兆円（2次 7月）
12.1兆円（3次 11月）
2.5兆円（4次 2012年2月）
0.7兆円（2011年3月）
4.5兆円（8月）
8.1兆円（10月）
1兆円（11月）
5兆円（3月）
10兆円（8月）
5兆円（10月）
10兆円（2012年2月）

「65兆円」投入 経済を下支え

日経新聞（2012年3月11日）

（2）原発被災地

・福島民報（11日）中間貯蔵　大熊　双葉　楢葉　3町に（三四頁図上）
／県外最終処分　法制化確約

同　（12日）首相「福島を必ず再生」
東日本大震災1年　政府追悼式

・福島民友（11日）中間貯蔵3町に提示／大熊　双葉　楢葉（三四頁図下）
／避難16万人　復興遠く

同　（12日）「ふくしま宣言」全世界へ
知事、復興誓い発信／全廃炉求め　再生エネ推進

福島県は、地震・津波の被害に加え、原発事故に伴う放射能汚染、さらには風評被害と、現時点では先が見えない複合災害との戦いが続いている。住民の対応も、立入禁止区域もあれば、線量は比較的高いものの日常生活が維持されている所など、状況が大きく異なる。しかも原発に関しては、「本店」（東京電力東京本社）や官邸に情報が集約されがちで、現場があってないようなモヤモヤした状況にある。それは、福島県庁横の自治会館で行なわれている東電「現地」会見でも見られた。

そのうえ、取材する記者自身の健康被害にも十分に配慮する必要があるなど、課題が山積だ。当初は線量計も不足しており、記者は危険度が目視できないまま取材を続けた場合もあったという。それでも、読者が現に住んでいる場所から、在京紙のように簡単に退避することは許されない。こうした

状況を踏まえた取材態勢・紙面展開は、今回の東日本大震災の新聞検証に貴重な素材を与えている（たとえば『新聞研究』二〇一一年六～十月号、『日本記者クラブ会報』二〇一一年七月一〇日号、参照）。

（3）東京圏

・読売（11日）〈特集紙面＝編集手帳〉
　同（12日）列島　祈り　誓い／東日本大震災1年
・朝日（11日）〈特集紙面＝震災調査〉　（三五頁図上）
　同（12日）悲しみを抱いて生きていく／東日本大震災1年
・毎日（11日）〈特集紙面＝ルポ〉悲しみ語り継ぐ／東日本大震災きょう1年
　同（12日）3・11追悼と誓い／大震災1年　各地で式典
・産経（11日）〈特集紙面＝原発検証〉
　同（12日）鎮魂の祈り　再生の誓い／首相「復興　歴史的な使命」
〈別刷り特集〉
・日経（11日）再生へ　底力今こそ／復興の歩み　なお遅く　（三五頁図下）
　同（12日）「涙を超え強く」復興誓う　＊写真は黙禱する天皇
・東京（11日）〈特集紙面＝作家寄稿〉涙の3・11　祈りの日
　同（12日）悲しみと貧しさ抱え／原発はいらない　世界つながる
・神奈川（12日）再生と鎮魂の祈り／大震災1年「一歩ずつ進む」

(4) 被災地隣接県・東北圏

・北海道(11日) わが子よ 捜索今も (特集)
同 (12日) 涙をふいて明日へ/東日本大震災1年 (特集)
・新潟日報(11日) 県内で当面生活56%/大震災きょう1年 避難者調査
同 (12日) 家族よ ふるさとよ/東日本大震災1年 各地で追悼
・秋田魁新報(11日) 復興 足取り重く/34万人いまも避難
同 (12日) 鎮魂の祈り 列島包む/遺族ら悲しみ新たに
・山形(11日) 課題の52%「家計・仕事」/震災1年 やまがたの避難者
同 (12日) 列島に 鎮魂の祈り/未来開く決意新たに

(5) その他地域 (部数が大きいものを中心に地方別に抽出)

・沖縄タイムス(11日) 34万人 今も避難/がれき膨大 処理難航 (特集)
同 (12日) 3・11鎮魂の祈り
・長崎(11日) 34万人いまだ避難/復興の足取り重く
同 (12日) 鎮魂の祈り 深く/復興誓い 教訓後世へ
・中国(11日) 34万人なお避難/復興の足取り重く
同 (12日) 教訓継承 復興誓う
・神戸(11日) 東日本大震災きょう1年 *トップ記事は別ニュース
同 (12日) 鎮魂 尽きぬ思い/再生へ「気持ち強く」(特集)

・京都（11日）復興、足取り重く　＊トップ記事は別ニュース
　同（12日）涙の1年　遠い復興
・中日（11日）震災1年　続く祈り／3・11　不明なお3155人
　同（12日）悲しみに胸に　復興誓う　＊写真は黙禱する天皇
・信濃毎日（11日）鎮魂の3・11／34万人なお避難生活　（特集＝原発中心）
　同　（12日）被災地「未来へ強い気持ち」／復興が供養に
・上毛（11日）34万人いまだ避難／復興の足取り　重く
　同（12日）復興信じ　一歩ずつ／がれき　原発　課題山積　（特集）
・北國（11日）面影　探し続け／34万人、今も避難
　同（12日）再生へ　祈り、誓う／首相「歴史的使命果たす」
・静岡（11日）大震災から1年／34万人依然避難　＊トップ記事は別ニュース
　同（12日）大震災1年鎮魂の祈り／復興、継承　各地で誓う

ここからみえてくるのは、（2）の「原発被災地」を除くグループは、「節目」報道をしていることである。逆にいえば、原発からの避難そして放射能被害を現在進行形で抱える福島の地元紙は、一年目は決して節目ではないことを、紙面作りで強烈にアピールしている。一周年「記念」の各紙紙面は、確かに見ごたえ読みごたえがある。多くは特別ページで、力の入った報道を繰り広げている。しかし一方で節目報道には、区切りをつける、改めて思い起こす、などの意味が含まれている。そう考えると、まさにフクシマにとって、節目報道をする意味はまったくない。そして東北各県にとっても、区

切りをつける意味も、あえて思い起こす必要もない。だからこそ、その他の地域との紙面差は如実なのである。

さらに、同じ特集を組んだ紙面でも、（1）のグループと（3）以下のグループには、大きな違いがある。それは同じ死者への追悼紙面であっても、身近にそういう人たちがいて、それを乗り越えて前へ進もうとする（1）と、多くの場合、一般的な鎮魂をテーマとするその他のグループの差である。とりわけ、（3）のグループの紙面のうち、読売、東京の両紙には、あえていえば「高揚感」が漂う。いわば、大きな事件・事故を報ずる時にあらわれる独特の気分である（朝日と産経は調査結果を中心とした「節目」紙面となっている）。

一方、同じ特集紙面であっても、岩手日報は読者に与える影響が異なる。少なくとも、（3）グループの紙面が放つ「これでもか」といった威圧感はなく、静かに悲しみと決意が伝わってくる紙面作りである。本紙を包む込み特別紙面（ラップ紙面＝1面と終面通しの見開き紙面）で、頭をたれる市民の写真とともに、「前へ」をもっとも大きな活字で組み、その決意を明らかにしている。

見やすさやインパクトといった紙面デザインとしての優秀さは、おそらく在京紙に軍配が上がるだろう。しかし、本来ジャーナリズムが伝えるべきものは、写真や記事そのものから伝わってくる「力」であることを感じさせる紙面である。これは、被災住民とともに歩む新聞社の思い入れが感じられる紙面で、当日の中では、最も感情を揺さぶるものであった。まさにこれこそが、「被災者に寄り添い、ともに歩む」紙面作りといえるだろう。

なお、岩手日報、河北新報、福島民報、福島民友の四紙は、「3・11東日本大震災　3県4紙合同プロジェクト」として、三月十一日付の別刷りを共同制作し、発行した。この紙面は八ページ建てで、半分は、「あの日」を伝える二〇一一年三月十二日の四紙の朝刊1面紙面、残り半分は、各紙が伝える各県の「いま」である。さらに、この別刷りは全国の地方紙によって、三月十一日の朝刊挟み込みで広く配布された。

こうした紙面の違いは、じつは被災直後の一カ月間にも現われている。在京紙（朝日、毎日、読売、産経、東京、日経）と、被災地の八紙（東奥日報、デーリー東北、岩手日報、岩手日日、河北新報、福島民報、福島民友、いわき民報）では、まったく違う紙面作りがなされていたからだ（一二一頁以下参照）。結果としては、あまりにも当たり前のことであるが、被災地八紙は地元住民の立場に立った紙面作りを行ない、それは被災ニュース中心の紙面となって現われた。

一方で、在京紙は被災ニュースは伝えるものの、その視線は東京からのものであって、結果として、被災ニュースが政権批判の政治ネタになったり、自衛隊や米軍の支援の紹介であったりすることになった。その判断が、日々のトップニュースに象徴的に現われるということだ。こうした被災地との距離をどうとるかは、たんに震災を伝えることだけにとどまらず、読者との関係をどう構築するかにも関係する。それは、先にあげた震災一年めの紙面を例にいうならば、読者を勇気づけ支える地元紙、読者に震災を改めて思い起こさせるとともに、被災地のことを忘れていないことをアピールする在京紙、節目として記念日的に記事化するものの、読者に特段の訴えかけはないその他の地方紙といった紙面作りに現われている。

第Ⅰ部　震災報道の何が問題なのか

第1章　遮断された情報アクセス

東日本大震災および原発事故に伴い、その発生直後に緊急速報・避難情報を伝え、被災者および被災地の現状を紹介し、救援や復旧・復興に向けた議論を喚起する上で、マスメディアの果たす役割の大きさが改めて認識された。しかし一方、その報道のあり方には多くの問題が指摘されている。送り手側でも検証の動きが続いているが、ここではとりわけ震災をめぐる一連の報道で、市民は必要な情報をきちんと受け取ることができたのか、政府やマスメディアはその役割を果たしたのか、あるいは逆に阻害したりはしなかったのか、ということを検証していく。手はじめに、受け手の読者・視聴者・ユーザーからみて、こうした情報アクセスがさえぎられた可能性がある事例を概観する。

1　伝統メディアの問題点

日本では厳然と「マス」メディアが存在する。これは世界の中でも極めて稀でユニークな日本のメディアの特性であり、同時にこれらマスメディアを構成する新聞・放送を中心とする大手メディアは、日本の法・社会制度上、取材・報道における特恵的待遇を受けている。たとえば、記者室における常駐スペースの占有や、記者会見の優先的参加などを保障する記者クラブ制度もその一つである。

ここでは、これらマスメディアを「伝統メディア」と呼ぶこととし、一方で、記者クラブ（記者会見）開放を求めるフリージャーナリストらが活躍の場としているインターネットなどを、「新興メディア」と呼ぶ。この伝統 vs. 新興の争いはいわば新旧対立であり、いかなる時代にもさまざまな領域で常に生じている。その意味では、さしてもの珍しい現象ではないし、それが技術の発達に伴うものであるならば、議論の余地なく自然に淘汰されるものも少なくなかろう。

しかし、ことメディアにおける新旧対立は、単に形態の違いにとどまらず、「旧」ジャーナリズムのありように対して、「新」からの根本的な見直しを迫るものであることに注目する必要がある。とりわけ二〇〇九年の政権交代と同時に社会問題化した、伝統メディアの取材手法や報道姿勢に対する批判は、すでに失われつつあった一般市民のマスメディアへの信頼を、決定的に否定するものだった。そしてこの動きは、これまで日本社会が有してきた特異なマスメディア状況を成り立たせる伝統メディアの、崩壊の端緒になることを予感させるものであった。

たとえば、情報への接近という点で、「記者クラブ」を拠点とするマスメディアの取材態勢が、従来指摘されていた問題を改めて浮き彫りにした。それは、発表情報を基調に報道内容が決まっている点である。これまでは、予定調和的な記者会見場で、発表側の行政と親しい関係にある記者との間で、もしくは不勉強な記者が追及不足の質問をするなかで、会見が成立し報道がなされていた。しかしこうした状況は、もはや震災を機に立ちゆかなくなったといわれている。

これまで、会見の場で厳しい質問をしないのは、ライバル社を出し抜くためであるとか、良好な信頼関係を築くなかで、本当の勝負をかけるときは厳しく対峙している、などの「反論」がなされてきた。しかし、東電あるいは政府との統合本部の会見で、幾度となく発表者側を追い詰めたのは、フリーランスの記者たちであった。それは、インターネットを通じて、言い逃れのできない事実として示されることになった。その一つの象徴が、会見場でオレンジ色のパーカーを着て徹底的に質問し、ネット上で「オレンジ」と称された故・日隅一雄弁護士の追及劇であり、その一端は本人の著書『検証　福島原発事故・記者会見――東電・政府は何を隠したのか』（木野龍逸と共著、岩波書店、二〇一二）に詳しい。

一方、こうしたフリージャーナリストの「追及劇」が、パフォーマンス的要素を含んでいたことも、また否定できない面がある。東電会見はその一部始終がネットで生中継され、その中継を通じて、ネット上の「ヒーロー」が誕生していった。そうした経緯を辿る中で、会見は事実を聞き出す場ではなく、会見当事者を追い詰め、言い負かす場に変質する可能性を常に含んでいた。もちろん、追及自体がそうした性格を帯びるものであって、相手の回答を予想しながら「次の一手」を舌鋒鋭く繰り出すことは、質問者として当然求められる。しかし、ネットを通じての「観客」たるユーザーは、出てくる真実よりも、その時の劇の一場面のような勝ち負けにこだわりやすい。

これはまさに、小気味よさや爽快感を求める、いまふうのメディアユーザーに共通の感覚でもあり、多少唐突ないい方ではあるが、橋下徹大阪市長を頼れる政治家として圧倒的に支持する、ポピュリズム政治に共通する性向といえるであろう（こうした意味で、記者クラブが「権力側の広報機関に成り下がった」との単純な決めつけにはくみしない）。

この意味するところは、国家的緊急事態になればなるほど、マスメディアは最新情報が集中する官の発表に頼らざるをえなくなり、その信頼度を、他のニュースソースよりも上位に置く可能性があるという「権威ジャーナリズム」の問題である。いわば「大本営発表」が、発表者側の強権によって成立するのではなく、そうした状況を期待するメディアがあるということである。それはある種の責任転嫁ともいえるが、圧倒的な情報不足の中で、相対的に「確実」の可能性が高く、もっとも「安心」できる情報源として、長年の「相互信頼関係」から現われ出る自然な防衛反応ともいえるだろう。

それが、原子力安全・保安院の発表に追随する「発表ジャーナリズム」の陥穽に陥ったばかりか（原発事故を「想定外」と位置づけ、当初の「レベル4」発表に代表されるように、事故を矮小化した）、二年を経た今でさえ、なかなかそこから抜けきれない状況を生んでいる。

また、マスメディアに登場する専門家については、いわゆる「原発推進派」が多かったとの批判が強い。これに関連して、記者・制作者側の専門知識の欠如や事前学習の不足が厳しく指摘されている（たとえば武田徹『原発報道とメディア』講談社現代新書、二〇一一、参照）。記者が専門家になる必要はないし、むしろ専門知識を市民の視点でいかに一般化するかが求められている、といえるだろう。しかし実際は、そうした自らの責任による考察を回避して、官および主流への安易な寄り添いによって正当化を図るといった、「思考停止ジャーナリズム」とでもいうべき状況が、今回の原発報道において見受けられた。

しかしより大きな問題は、従来からの反対派や懐疑派だけでなく、放射能汚染に対する危惧の声や、原発に対する新しい市民の動きを意識的に排除する、そのかたくななまでの前例踏襲主義、保守的な体質にあるだろう。それに比較すれば「権威」ある専門家の偏りは、従来の社会構造、これまでの歴史的経緯の産物であり、テレビのそういうゲストが突然違ったスタンスに立つことは、それこそ想定しがたい。

この保守的姿勢の象徴は、市民デモの扱いである。市民が直接的な意見表明の手段として有する集団示威行為（デモ）は、憲法で保障された市民的自由であり権利である。しかし実態としては、デモは地方自治体の警察（公安委員会）の厳しい管理下にあり、「事前許可制」であって、自由は極端に制約されている。そうした状況の中でメディアは、デモに対しては、えてして「否定的」あるいは「異端」扱いをしがちである。それは、３・11以後、市民デモが一般化する中でも続いている傾向である。

たとえば、「警察視線」で報じる結果、警察の過剰対応の場合であっても、「違法デモ」として報じられ、実態とかけ離れたイメージが形成されたりする。その一つが、二〇一二年六月十一日の新宿「素人の乱」のデモで、逮捕者が出たことをもって、「違法デモ」と報じ（読売新聞六月十二日付朝刊）、その結果、社会秩序を乱す「ならず者」のレッテル貼りをしている（逮捕者はのちに起訴猶予）。その他の原発関連デモの逮捕者についても、ユーチューブ画像などを見る限り、歩道に上がってデモと並列に歩いていた参加者を、デモ隊列を外れないようにとの指示を無視したとして身柄拘束したり、解散地点ですぐに立ち去らない主宰者を逮捕したりと、警察の「過剰反応」である場合が少なくない。

こういうことの根本には、デモが憲法上保障された権利ではなく、行政の許可のもとで許されているにすぎず、警察の命令には絶対服従しなければならないという、壮大なる「勘違い」があると思われる。もちろん、これを容認してきたマスメディアや司法に大きな責任があることはいうまでもない。

その結果、当事者や状況を知る者にとっては、市民感覚とマスメディアの格差はさらに広がる一方、多くのメディアの受け手にとっては、「デモ＝悪いこと」といった誤ったイメージが拡散していくことになる。しかもとりわけ一部の在京メディアは、こうした市民の意思表示を、相対的に矮小化する傾向にある（ただし、ネットほかで新聞は「デモを報じていない」との批判が広くなされているが、件数だけでいうならば、たとえば朝日は一日一件平均で扱っており、少なくとも「報じていない」との批判は当てはまらない。この点では、総体的なメディア批判が当てはまらないことに、十分注意が必要である）。

もちろん、こうした既存の意識を打ち破る流れがあることも事実である。すでに触れたとおり、今回の官邸前デモは、ツイッターやフェイスブックによって拡散し、回を追うごとに大きくなっていった。それは、官邸前デモに限らず、3・11以降の多くの市民運動に、おおかた共通して当てはまる傾向である。大手メディアが情報の媒介役としての機能をほとんど発揮しない中で、インターネット上のネットワークがまさに、人を繋ぎ、市民の意思を表わすメディアとして機能したのである。

こうした既存メディアは、今回の震災だけではなく、たとえば沖縄の基地関連の地元集会やデモについても、そのほとんどを無視するか、小さな扱いで報じるのが一般的である。たとえば東京で反原発デモが盛り上がっていたちょうど同じ時期、沖縄では米軍オスプレイの普天間基地配備をめぐって激しい反対活動が繰り広げられていた。地元の沖縄タイムスや琉球新報では、号外を発行したり、1面と最終面をぶち抜いた特集紙面を作るなど、反対集会を報じることで、沖縄住民の意思をアピールしている。しかし、こうした集会を報じる在京紙の扱いは総じて小さく（まったく報じない社もある）、政府や沖縄県の姿勢を伝えるにとどまっていた。

それは、海外のデモの扱いから見ると、明らかにバランスを失していると思われるが、「ニュース価値という社内基準」をもって正当化し、言い訳としている状況にある。アラブの春の大規模な民衆革命は別にしても、たとえば、ニューヨークの格差告発のデモなどは、少なくとも規模の面からすれば小規模のものでも報道されたが、反原発デモの扱いは、数千人単位のデモ（たとえば三月二十四日の東京集会・デモ）でも、筆者の確認した限り、テレビ局によってはまったく報道されなかった。もちろん、同様の傾向は新聞紙面にも現われており、原発問題に関して政府方針を支持するかどうかで、デモの扱いも極端に分かれている。その象徴的事例が、本書冒頭にあげた、官邸前の大飯原発再稼働反対デモの扱いなのである。

新聞やテレビなどの伝統メディアを批判する一つの根拠が、こうした市民運動への冷淡さであったことを思うと、今回もまた、メディアは批判に答えるのではなく、さらに距離を広げるよう自らの報道姿勢を定めており、これが報道の信頼性にも大きな影響を与えている。この基準は、従来の「業界常識」であったり、社会に存在する古い尺度に沿ったもので、それに基づく限り、新しい社会の動きに反応することは難しくなる。

そもそも、市民デモを「反対派」と色分けして報じること自体、いかがなものかと言わざるをえない。確かに政府方針には反対しているものの、世論調査などからすれば、政府方針に賛成する方が「少数派」であって、むしろ逆に、「政府＝守旧派＝少数派」、「デモ＝常識派＝多数派」との見方も可能であろう。この点においても、権威を「正」に置く従来の姿勢が反映しているが、むしろ発想の転換こそが、今のマスメディアに求められているのではなかろうか。こうした権威主義は、取り上げるデモの種類についても言えるだろう。たとえば、自治体や「権威」ある既存団体が主催したり、有名人が壇上に上がる場合などは取り上げるものの、一般市民団体が主催する場合などは、無視するか「色モノ」視する傾向が強い。それは、通常の取材対象に市民運動がないために、記者の認識不足からくる差別感による場合が多い。

こうした報道の扱いはたとえば、原発再稼働反対の声を矮小化することによって、3・11以降の新しい市民の動きを抑制するとともに、一般市民のデモに対する見方を、旧来の「特殊な運動家」によるものというイメージに固定させる作用があると思われる。あるいはまた、海外に対して、日本には政府の方針に反対する声がないかのように誤解させる契機になるとも指摘されている。その意味でこれらは、マスメディアが市民の知る権利を具体的に阻害している一例といえるであろう。

2　誤ったイメージを広める

震災を通じて報道機関について指摘されたもう一つの問題点は、情報を意図的に隠しているのではないか、官依存体質が強過ぎるのではないか、という点である。この点については後に詳述するとおり、仮に隠す意図はなかったにせよ、結果的には監視力も検証力も十分に発揮されなかったといえる。もちろん、そうした反省に立って、新聞を中心に「当時」の検証が徐々になされ、いくぶんかは挽回されていることも事実である。

たとえば朝日新聞連載の「プロメテウスの罠」、毎日新聞連載の「大検証　震災」、東京新聞連載の「レベル7――福島原発事故　隠された真実」などは、隠されたファクト（事実）の掘り起こしに多少なりとも成功した事例である（いずれも同名で単行本化）。これらが検証した原発事故直後の状況は、その後に発表された事故調査委員会で明らかになった事実を凌ぐ内容となっている。

なお調査委員会には、東京電力福島原子力発電所における事故調査・検証委員会（政府事故調＝閣議決定により内閣が設置）、東京電力福島原子力発電所事故調査委員会（国会事故調＝東京電力福島原子力発電所事故調査委員会法に基づき設置）の公的組織のほか、福島原発事故独立検証委員会（民間事故調＝震災後にできた財団法人日本再建イニシアティブによるプロジェクト）があり、それぞれ報告書を提出・刊行している（なお、国会事故調はウエブサイトを閉鎖し、報告書のダウンロードは国立国会図書館に保存されたものに頼るしかないが、こうした対応は疑問である）。

さらにこのほか、原子力安全・保安院によって「東京電力株式会社福島第一原子力発電所事故の技術的知見に関する意見聴取会」が実施された。事故当事者の東電は、福島原子力事故調査委員会（東電事故調＝東電社内組織）のほか、諮問機関「原子力安全・品質保証会議　事故調査検証委員会」を設置し、報告書を公表している。

しかし一方で、こうした「調査」報道の手法が全社的に受け入れられ、そこで解明されつつある事実が、紙面全体を「支配」しているかといえば、残念ながらまだ十分とはいえないし、何よりも制度上での「改革」が進んでいるとは思えない。たとえばそれは、専門記者の日常的な育成であったり、社内体制の変更である。これまでも、原発に批判的な記者は「冷や飯」を食わされてきた経緯があり、震災後においても、そうした記者が脚光を浴びることはほとんどないという。それは、報道機関の「体質」が変わっていないことを示すものである。

また放送局では、記者総数の物理的限界から、専門記者の育成には消極的である。とりわけローカル局の場合、そもそも報道に携わる記者の数は、多い局でも三十人程度であって、そのなかで分野ごとに専門記者を配置することは不可能である。あるいは一般的にいって、記者自体の外注化（下請け化）が進んでいる実態があり、そうしたなかでの記者のスキルアップは、ますます困難になっている。

しかしそれでも、今回の事故を受けて二つの対応が考えられるのではないか。一つは、記者全般が原子力についての最低限の基礎知識を習得することである。この点については、3・11以降の日常的な取材や報道を通じて、必然的に多くの記者が知識を身につけつつあるといわれている。実際、3・11以前においても在京紙の新人記者が福井県に配属されると、原子力に関する一定の知識を習得して次の赴任地に移ったといわれる。それはとりもなおさず、日常的に「原発銀座」を取材することの結果にほかならない。

そしてもう一つは、少なくとも原発立地県の新聞社や放送局においては、「原発記者」を養成することである。新聞でも放送でも、沖縄には「基地記者」が、広島や長崎には「原爆記者」が存在してきた。それは、目の前の問題を、きちんと専門知識を持って継続的にウォッチすることが、ジャーナリズムの役割であるからにほかならない。そうであるならば、いま原発を組織的、継続的に監視していくことは必須であり、そのための人材を育成することが求められている。

記者クラブ制度の見直しに関しても、これまでは外国の報道機関であったり雑誌あるいはフリーのジャーナリストといった、外部からの開放要求を受けての対応であった。これらはあくまで受け身の「必要最小限の変更」であって、自発的、主導的な「改革」ではない。こうした姿勢からは、今後も事故があった場合、同じような会見風景が繰り返されることが予想される。しかし、今回の「オレンジ」のような、職業ジャーナリストではない「外部」の個人の努力に真相究明を頼るというのは、既存メディアとしては恥ずかしいことではないか。

もちろん一方で、「オレンジ」のような個人の努力だけでことたれりとならないのはいうまでもない。たとえば事故後の東電記者会見では、百枚を越える紙資料が毎回のように配布された。会見に参加した筆者の体験からいっても、この配布資料すべてに目を通し理解することは、相当の難行である。

しかし「誰か」が、継続的に会見に参加し、配布資料をチェックする作業をしなければならない。そしておそらく、その作業が物理的に可能なのは、大手メディアに限定されると思われる。

それがなぜ重要かといえば、その膨大な資料の中に、隠された「真実」があるかもしれないからである。その発見には、マスメディアの組織力が大きな力を発揮するだろう。そうであるならば、立場による役割の違いはおのずと生まれてしかるべきである。「オレンジ」のピンポイントの追及とは別に、結果の予測できない地道なチェック作業をする大手メディアを、「役立たず」と一刀両断にする意見にくみしてはいけないだろう。

旧メディアが読者・視聴者の信頼関係を損ねたもう一つの要因は、政府が使う「当局コトバ」を、そのまま使用したことである。そこまで意識しているかどうかは別として、結果として問題を隠蔽することになった行政用語を、メディアが無批判に使用したことによる誤ったイメージの拡散があった。すでに多くの識者や市民によって指摘されているように、「冷温停止状態」という用語一つをとっても、これは原子炉の正常な状況を前提にする言葉であって、福島第一原発の原子炉の現状を示す用語としてはふさわしくない。

現在の福島原発は、水素爆発を起こした原子炉にとどまらず、その他の原子炉を含めて「異常な状態」にある、という事実が確認されている。「冷温停止」は専門用語で、本来は、定期点検などで原発の運転を止め、密閉された原子炉の中で冷却水が沸騰しない温度まで低下し、安全な状態になったことを指す。すでに事故直後の四月から、福島第一原発の五号・六号機について、冷温停止であるとの発表がなされている。しかし事故を起こした原子炉の状態は、そもそも密閉性が保たれておらず、放射能の外部への放出が続いている上に、高濃度汚染水が大量に建屋内に残っている状態で、「健全な原子炉」の状況からはおよそかけ離れている。高濃度の放射能を絶え間なく放出しているし、あえていえば、安定的な状態であってほしいという願望を含めたネーミングにすぎない。

ところが、すべての大手マスメディアは、一貫してこの用語を使用している。このことは、正常な原子炉の状態を前提にした冷温停止という用語とはほど遠い異常な事態を、この言葉によって見えづらくしており、せめて「一時的な安定が推定されるにすぎない」ことが理解できる工夫が必要だろう。

この言葉を、「例外なく」すべての報道機関が使用することも異常であるし、その問題性を認識しているにもかかわらず、使用し続けることもまた異常である。これはまさに、「惰性ジャーナリズム」と呼ぶにふさわしい、過去の例や手法に則った思考停止による惰性の産物にほかならないものである。この言葉が与える問題は、繰り返しの報道により、読者・視聴者に対して、政府が意図する誤ったイメージを植え付ける効果があることである。たとえば、この冷温停止状態の延長線上に、二〇一一年末の政府による事故収束宣言があるわけだ。

3・11以降、連日、政府・東電の記者会見が開かれ、そこでは膨大な紙資料に基づき、難解な専門用語を駆使した説明が続いた。とりわけ最初の三カ月ほどは、次々に新しい事態が発生し、そこで発表される数値や使用される用語については、十分に検証する人的・時間的余裕のないまま報道せざるをえない状況が続き、その「余波」が今なお残っている。

一方、政府にしてみれば、国民に不安を与えずパニックを回避するために、必要以上の情報は出さないという判断はありえるだろうし、東電の企業論理からすれば、事故を過小に見せることは選択肢として否定できない。ましてや、誰も原子炉の本当の状態は分からないし、放射能汚染の実態も断定できないのであって、いわば正解がないなかで、それぞれの評価基準と価値判断に基づく発表がなされていたということだ。

それは見方を変えれば、政府・東電の広報力vs.メディアの咀嚼力の闘いともいえ、報道によって形成される事態の印象は、こうした日常のつばぜりあいのなかで決まっている面が強い。もちろん、事故の真実にどこまで迫り、本質を突いた報道をするかという、本丸の戦いは常にあるし、それが最も重要である。しかし、たとえば津波・原発の複合災害について、「想定外」という圧倒的なイメージを作り上げたのは、政府の発表とそれをそのまま流し続けたメディアの「力」による、というほかないのである。

首相の記者会見などのいわゆる政府広報については、その内容は裏づけを取ることなくそのまま紙面化されるのが通例だが、今回の震災・原発報道は、紙面作りからすれば異例なことといえる。通常の記事であれば、幾重にも内容の信憑性の確認作業があって初めて活字になるからだ。しかも今回は、その報道によって、単に発表の事実を伝えるだけでなく、政府の言い分にお墨付きを与えるという効果があり、読者にとっては二重の安心感をもたらす結果となった。

そうしたなかで、発表された「言葉」の本質を理解し、いかに翻訳し直して報じるかが問われることになる。とりわけ知られたくないことに関しては、常に難解な専門用語や行政用語で煙に巻く傾向があって、それは従来の原発報道ですでに指摘されてきたところでもある。たとえば、老朽化を高経年化と呼んだり、汚染水を滞留水というのは、今に始まったことではなく、メディアの側も学習し、きちんと言い換えて報じている。

一方で、暫定的かつ国際的にも緩やかな安全基準以下の放射線数値を、「不検出」と表記したり、最終的な処理方法が皆目見当がつかない汚染土の移動を、「除染」と呼んだり、通常からすれば明らかに異常な濃度の放射能汚染水を「低濃度」とするなど、造語が醸し出すイメージと、放射能汚染の実態がかけ離れていることも少なくない。

もちろんまず第一に、この期《ご》に及んでいまだに事実を国民から覆い隠そうとする政府・東電の態度に問題があることはいうまでもないが、メディアの側も発表用語をそのまま使用するのではなく、「言いなり」にならない工夫が必要だ。何より市民の知る権利の観点から、言葉が本質を覆い隠し、ごまかしそのものになりうることに常に留意し、分かりやすい言葉で伝えていく必要がある。

3 取材自主規制と情報空白地域

報道機関へのもう一つの厳しい批判が、原発から「逃げた」というものだ。大手メディアが政府発表に基づいて取材エリアを自主的に制限し、原発事故後に周辺地域の取材を自制したことをさす。

多くのマスメディアは、一九九九年の東海村JCO事故に際し、取材記者に放射能被曝が生じたことから、原子力取材マニュアルを整備し、国際基準を参考に、おおよそ八〇〇から一〇〇〇マイクロシーベルト／年（時間当たり二〇マイクロシーベルト）を限界値として、それ以上の線量の場所は取材しないこととした。じつはそれ以前から社内マニュアルはあったが、実際の運用がないまま「忘れられていた」とされる。

JCO事故に際しては、初期取材で記者が実際に被曝したことについて、労働組合も含め厳しい批判と反省があり、世界基準に合わせて一時《いっとき》も早く基準を作ろうとの意識が強かったことを、筆者も基準づくりの末席にいたことから思い起こす。今回、それをそのまま適用するのは、一時的な被曝と継続的な被曝という状況の違いからすれば問題があったが、他に基準がない中で当初の判断基準としてはやむをえない面が強い（福島第一原発の事故現場に接近する際の危険性回避という面では、九九年基準をそのまま適用することに妥当性はある）。

その基準を当てはめた結果、在京および福島県内の主要メディアは当初、原発からおおよそ三〇キロもしくは四〇キロ圏内の取材を制限し、自主規制することになる。政府は住民に対して、二〇キロ圏内は避難指示、三〇キロ圏内は屋内退避・自主避難という基準を示していたので、この段階で両者に齟齬が生じ、マスメディアは「社内の安全基準」と「紙面上の安全基準」で、ダブルスタンダード（二重基準）を強いられることになった。その結果、後に立ち入りが禁止された二〇キロ圏内は別としても、住民が居住し続けている二〇〜三〇キロ地域の取材が途絶え、情報空白区域を生むことになった。

そうしたなか、南相馬市長がユーチューブで窮状を訴えたり、フリーのジャーナリストが取材結果をネットで流すなどして、かろうじて情報の糸が繋がったものの、大手メディアがその社会的役割を十分に果たしえなかったことは否定できない（一方、個別の記者の努力によって、三〇キロないし四〇キロ圏内の情報が断続的に報道されていたことも事実である）。ましてや二〇キロ圏内の情報は極端に欠如したまま、一年以上が経過している。

たとえば、二〇一二年に入ってから緊急避難地域が解除され、住民の帰村が始まった広尾町や南相馬市の一部については、3・11の惨状がそのまま放置された状況にあったが、そうした実態もきちんと伝えられてはいない。その後、単発的に報道がなされつつあるが、住民が生活している場所を、危険とみなして記者が日常的な取材を拒むという根本的状況に、なんら変化はない。

もちろん、こうしたダブルスタンダード自体は組織運営上、場合によっては生じうることだ。なぜなら、政府などの行政判断が必ずしも正しいとは限らないからで、「社員の健康・安全」を守るために報道機関が独自の基準を設けることは、ありえて当然だからである。少なくとも会社として、「人命に優先する取材・報道はありえない」のは、いうまでもない大原則だ。しかしその場合には、次の二つのことを実行しなくては、社会的役割を果たせないのではないか。

一つは、その事実をきちんと公表することである。残念ながら、こうした取材基準を持っていることを、正式・正確に公表しているマスメディアは存在しない。確かに、いくつかの報道機関は紙面検証や検証番組などで、ダブルスタンダードがあることを認めている（取材ルールについては、臺宏士「原発事故報道で真価が問われる『被災者に寄り添う報道』」、『ジャーナリズム』朝日新聞社、二〇一一年五月号、小堀龍之「初公開された原発事故現場　課題多い高放射線下の取材」、同、二〇一一年十二月号による）。

もう一つは、基準の見直しを行なうことである。なぜなら、従来の基準は突発事故における原子力発電所周辺の取材を想定した、一時的な被曝線量を基にしたもので、今回のような恒常的な放射能被曝、とりわけ事故現場（原発）から離れた場所の「低線量」被曝を念頭に設定されたものではない。だからこそ、時間の経過に従い、多くの報道機関では運用を見直し、ある程度の取材が可能になってきている。

たとえば二〇一一年三月二十一日付のNHK報道局文書では、「NHKの原子力災害取材マニュアルは、原子力施設の周辺での取材を前提にしたもので、六〇キロ以上離れた福島市のように遠く離れた場所で行われる取材を対象としていません。取材マニュアルでポケット線量計のアラームを〇・五ミリシーベルトに設定するとしているのも、原発に近づいた際、〇・五ミリシーベルトで即座に引き返せば、国が採用している一ミリシーベルト以内に被曝を抑えられるということを前提にしています。従って福島市内などの取材で積算される放射線の値に神経質になることなく、一つの参考データと考え、取材を続けるかどうかは政府の指示に則して判断することにします」としている。

一方で、国際放射線防護委員会（ICRP）と国際原子力機関（IAEA）の緊急時被曝状況における放射線防護の基準値は、二〇～一〇〇ミリシーベルト（年間）であって、事故後の日本国政府あてのICRP勧告を基に国の基準が定められている。そこでは、将来的には年間被曝線量を一ミリ（千マイクロ）シーベルト以下に戻すことを目標に、緊急時としてその基準の中で最も低い値である二〇ミリシーベルトが採用された。また、事故収束後の復旧期にあたっては、年間一～二〇ミリシーベルトを超えないことを求めている。なお、平時においては年間一ミリシーベルトを超えないよう線量限度を各事業体が決めることになっている。この点について前出のNHK報道局文書は、「一般の人の年間被曝量を一ミリシーベルト以下に抑えるというルールは、ICRPが勧告した数値で、『放射線は浴びないのに越したことはない』という極めて保守的な考えに基づいた値です」としたうえで、「放射線医療の国際的な考え方として、一〇〇ミリシーベルトまでは、ほとんど健康被害はみられないというのが一般的です」としている。

したがって、報道機関は多くの社で採用している従来の一ミリシーベルト基準と、国の二〇ミリシーベルト基準の、異なる二つの値をもとに取材が規定されることになっている。この齟齬は、実態的には年間一ミリを越える地域であっても、常駐はせずスポット取材で対応することで積算値を押さえたり、被曝線量が年基準であることから、各記者の積算放射線量を一年ごとにリセットすることで、継続的な取材を可能にしてきている。しかしそれでもなお、少なくとも形式的には、二〇ミリシーベルト以下の低線量被爆について、紙面では「安全」を言いつつも、自らは「危険」であると判断するという「板ばさみ」状態が続いていることは、否定できないのではないか。

紙面上の主張と報道機関自らの態度が異なることは、理屈と現実の齟齬ということで時にはありうる話だが、ことは生命・安全にかかわるのであって、矛盾を放置し続けることは、社会責任上許されまい。各社とも運用の弾力化を進めており、立入禁止区域に関しても一時的に取材陣が入るようになってきているほか、住民が現に居住している地域に関しては、二〇一二年に入っておおよそ常駐もしくは日常的な取材エリアとしてきている。しかしこのことは、社の姿勢を示すものとして、大きな課題であることはまちがいない。

さらに水素爆発直後には、一部の報道機関が危険情報を流すことなく、住民が住み続けている一方で、自らは福島市内の支局も含め、いっせいに福島県外に退避するという事態が起きた。おおよそ一週間から十日のうちに取材態勢を元に戻したものの、地元の報道機関からも強い非難を浴びている。もちろん当時、政府もしくは当該自治体の避難指示に従い、原発周辺地域は一〇キロ、二〇キロと同心円状に避難地域を拡大し、その圏外に住民は避難するようメディアも伝えていた。しかし、そのニュースを報道するメディアはさらに遠くに、独自の判断で「逃げて」いたのである。

とりわけ、在京紙を中心とする福島県以外のメディアは、福島県内に常駐していた記者も含め、仙台などへ避難するよう本社の指示を受け、県内の取材をとりやめた。もちろん、自主的に避難した記者も少なくない。こうして自分の意思で職場放棄した記者も、読者・視聴者を見捨てたという非難は当然免れまい。

これは、避難することそのものを責めているのではない。当時、米国ほか少なからぬ外国政府は、広域の避難指示を出し、帰国を勧告した。たとえばアメリカは八〇キロ圏外への避難を指示し、またドイツやフランスなどの航空会社は、いち早く成田寄航を中止し、欧州便はすべて韓国でストップさせ、そこから大阪など東京以外の都市にピストン輸送するというような手立てをとった。

まちがいなく、それほどの危険性はあったし、むしろより安全な方法をとることは、企業の危機管理としてまちがってはいない（実際にアメリカ政府は、メディアも含め日本国内には未公表のSPEEDI〈放射能拡散予測システム〉に基づく放射能汚染拡散予想データをいち早く入手しており、危険性をより正確に把握していたともいえる）。問題は、報道機関の記者たちが、読者や視聴者に、自分たちは避難すること、あるいは避難していることを隠し、すなわち住民を置き去りにして、自分たちだけが安全地帯に逃げたという事実である。

こうしたメディアの自主避難の根拠となった情報が、取材によって得られたものであることは、想像に難くない。その意味するところは、政府などから得た危険情報を読者・視聴者に伝えることなく、いわば情報を隠蔽したうえで、自己の利益のために利用したということにほかならない。なおこの点については、もっぱら三月十二〜十七日の紙面をどう読むかによって、異なった評価もありうる。この期間、多くの報道機関は原発事故をトップニュースで伝え、その危険性を警告していたことは事実だ。たとえば在京紙の場合、連日、1面トップでメルトダウンの可能性に触れるなど、「大変な事態」になっていること、大量の放射能が飛散している可能性があることを伝えている。しかし、たとえば五十キロ圏住民が「直ちに」圏外に退避すべきというメッセージは、少なくとも筆者には伝わらなかった。それは後に触れるパニック回避とも関係するであろうが、自分たちの具体的な県外退避という行動と、紙面から伝えられる危険情報のギャップは、あったといわざるをえないだろう。

この問題は、実は以前から指摘されていて、たとえば戦地取材においても、日本の記者は、海外メディアが現場に残っていても、東京からの指示に従って「撤退」するのが常である。そこでは、危険な取材はすべてフリーのジャーナリストに丸投げし、その取材に頼っている。こうした場合にのみ便利にフリーを活用し、そして日常的には軽んじるという歪んだ差別構造が存在するのであって、この状況を変えない限り、同じ問題が生じ続けるであろう。

第2章　伝統メディアの果たした役割

──初期報道を検証する──

二〇一一年三月十一日は、メディアにとって、その社会的存在意義や役割を改めて問われるきっかけとなった日であり、それぞれの特性を発揮したことにより、今日のメディア状況を考察する上で多くの素材を、私たちに提供することとなった。したがって、東日本大震災をどう伝えたか、どのような情報を提供したのかを見ることによって、そのメディアの今日的役割を把握できるとともに、当該メディアの将来を占う有力な材料ともなるだろう。

ここで少し時間を巻き戻し、メディアを大きく「伝統メディア」と「新興メディア」に分けたうえで、最初に前者の報道ぶりを中心に、それぞれの強みと弱みがどのように現われたか、それによって本来伝えるべきことが十分に伝わったか否かを、検証していきたい。続いて第3章で、新興メディアの活躍ぶりを扱うことにする。ここでいう伝統メディアとは、新聞、雑誌、放送（テレビ・ラジオ）をさし、新興メディアとは、インターネット上の各種サービス、とりわけツイッターなどのソーシャル系メディアと、グーグルに代表されるポータル系メディアをさす。

1　初期報道における瞬発力

新聞・放送が強みを生かす

新聞や放送に代表される「伝統メディア」は、震災発生直後からおよそ三日間の初期報道において、十分な情報伝達の役割を果たしたといえるだろう。それは、ＮＨＫの一五〇〇人規模をはじめ、新聞各社もそれぞれ一〇〇〜一五〇人を超えるとされる記者、カメラクルー、技術者らを現地に送りこみ、被災状況を速報する取材態勢をとったことによる（「新聞協会報」日本新聞協会、「民間放送」日本民間放送連盟、参照。一部は日本新聞協会ウエブサイト www.pressnet.or.jp で閲覧可能）。その「瞬発力」は、伝統メディアならではのものであると評価できよう。

もちろん、地元のテレビや新聞がいっせいに取材に動いたのはいうまでもないが、むしろ在京の放送局（東京キー局）や新聞各紙（全国紙）が、東京ほか全国から現地に記者を特派し、夜を徹して自動車や徒歩で、孤立しがちな被災地にまで入り込んだことが、番組や紙面からも窺われる。こうした迅速で手厚い取材を敢行した結果、行政においても十分な情報収集ができていない段階で、いち早く被害の甚大さ・深刻さ・広範さについての、豊富な情報発信が行なわれたといえる。テレビでは、生中継（ヘリ取材）や定点観測カメラの強みもあった。

もちろん、そうした機動力には限界があったことも、すでに指摘されている。たとえば、ヘリの多くは津波で流されたり、地震で破損するなどして、飛べない状況にあったという。実際、津波映像を捉えたのは、偶然にも飛行が可能であった、あるいは飛行中であった、ＮＨＫと毎日新聞のヘリだけであり、それゆえに、両者が二〇一二年の報道スクープ賞を受賞する結果となった（二〇一一年度日本新聞協会賞）。また、定点カメラ（お天気カメラ）も、後に触れる水素爆発の瞬間の撮影に成功するなどの手柄があった一方、バッテリー切れなどで、その後は映像を送れなくなるものが多かった。

また取材陣のほとんどは通常、紙面や番組を制作しているスタッフであり、よく訓練されたプロ集団であることが大きな意味を持った。指令一本で即座に現地に行くことを可能にし、取材結果は信頼性の高い確実な情報として報道されたからである。こうした、量、質の各分野で成果を示すことができた伝統メディア発の情報が、初期の段階では社会不安や混乱の防止に役立ったと考えられる。それゆえこれらの情報は、行政を動かし、人命を救い、支援を広げる（訴える）力に結びついたといえる。

すなわち、新聞・テレビの媒体としての強みである一斉同報機能（同時に多くの人に同じ情報を届けることができる）、信頼しうる大量情報（プロの目で選別・整理された多くの最新ニュース・情報の提供）、取材態勢（訓練された取材記者がすぐに現場に急行できる）といった伝統メディアの特性と経験が、有効に機能したとみられる。

また、多かれ少なかれ一九九五年の阪神淡路大震災の経験も生かされたといえるだろう。記者の中には実際に、二〇〇四年のインドネシア・スマトラ島沖バンダアチェ津波や、二〇〇七年の新潟県中越沖地震の取材経験がある者も少なくなく、こうした経験が、今回の取材・報道の個々の局面で役立ったことは想像に難くない。

このほか、災害援助協定に基づく新聞代行印刷は、事前準備が生かされた最もわかりやすい例である。災害援助協定により、デーリー東北、岩手日報、山形新聞、河北新報、茨城新聞の各社は、近隣県などの新聞社に組版や印刷を委託した。デーリーは岩手日日に、岩手日報は東奥日報に、山形新聞は新潟日報に、茨城新聞は下野《しもつけ》新聞に、それぞれ印刷を委託した。河北新報は新潟日報に整理記者を派遣して制作を依頼、そのデータを自社印刷センターに送り印刷した。それ以外にも紙面作りや番組編成で、過去の震災の経験が役立ったとの報告がなされている。

一方、一九七八年の宮城県沖地震や九九年の東海村ＪＣＯ事故の経験は、十分に活用されたという話はあまり聞かれない。ただし、報道各社において原発取材規制のマニュアル整備が進んだのは、東海村の事故がきっかけであることは、すでに触れたとおりである。

なお今回の震災では、報道関係者の犠牲は最小限にとどまったが、福島民友の記者が取材中に津波の犠牲になった。震災後の五月に行った飯舘《いいたて》村の図書館入口には、相双支社でこの地域を取材していた故・熊田由貴生記者の、優しい気持ちが溢れる記事が貼られていた。

10 相双
5万冊の寄贈に感謝
福島民友新聞（2010年12月23日

熊田由貴生記者による記事

被災者に何を伝えるか

一方で多くの伝統メディアは、被災地域に情報を届けられない、という究極の問題に直面した。放送は、電気が遮断され、テレビ受像機やラジオが津波で喪失する中で、伝える手段を失う。新聞も、工場の被災や道路の寸断によって紙やインクが払底し、しかも電気や水がなければ輪転機を回すこともできない。さらに、新聞を配達するのはまさに人の力そのものであるが、その配達する側もされる側も被災したのである。

すると、在京の伝統メディアがその取材力と報道量で全国に情報を伝える一方、一番現場に近い被災者は、情報過疎に陥るという状況が出現した。その状況は相当広範囲の被災地域で続き、被災者が津波映像を自分の目で確認したのは、一週間後という状況が珍しくなかったという。ただし被災地域の新聞が、配達員の使命感によりほとんど欠配なく配達されたという事実も、知っておく必要がある（もちろん津波流失地区を除いての話である）。

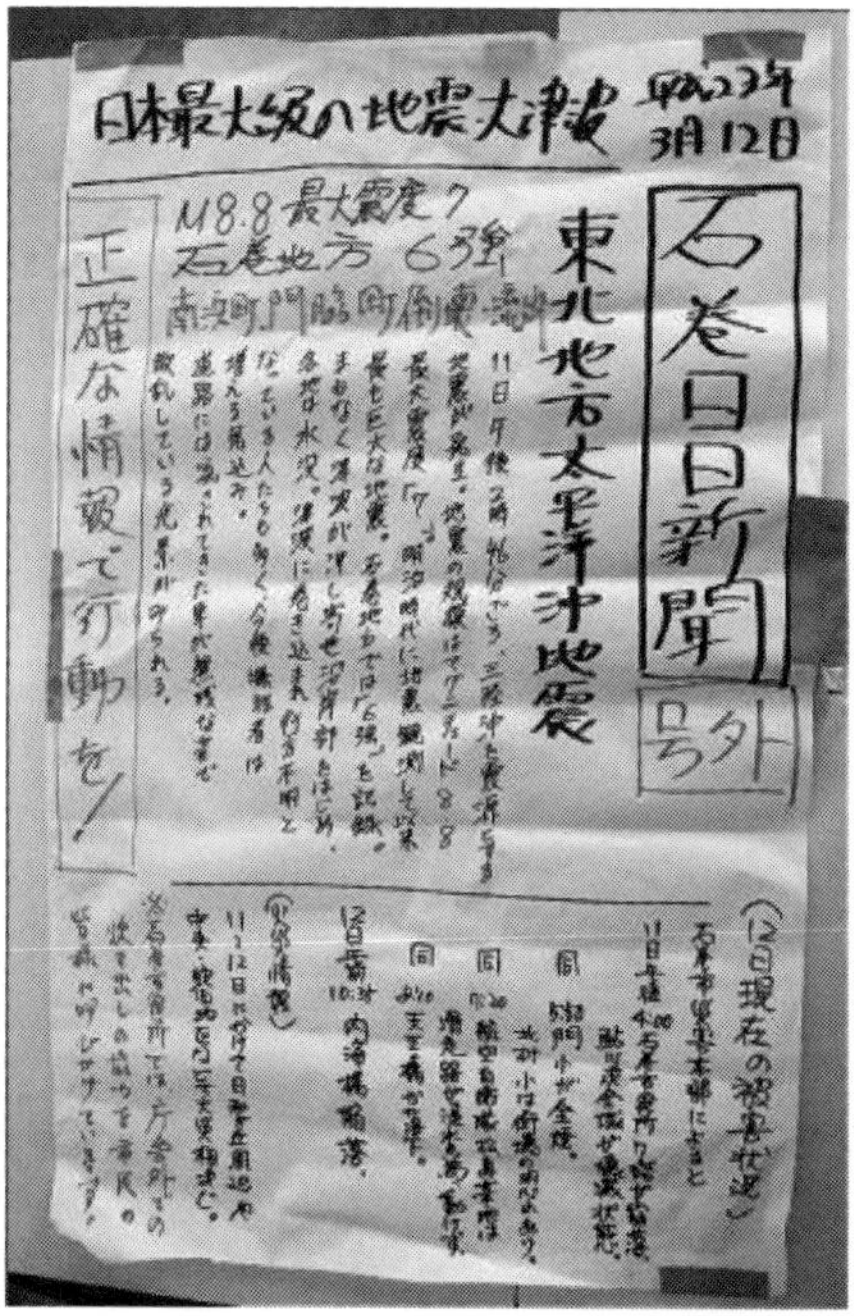

石巻日日新聞の「壁新聞」（2011年3月12日発行）

たとえば宮城県の地方紙である河北新報では、販売責任者による檄文まで出され、仙台市中心部さえほぼ全域で停電する真っ暗闇の中、寸断された道路を越えて、三月十二日の朝刊が配られたという。その後も販売店は、多くの読者を津波で失う一方、無償で避難所に新聞を配布するなど、大きな犠牲を払って努力が続けられた。こうした努力は、放射能という見えない恐怖と戦いながら配達を続けた福島県下の販売店においては、さらに大きかったと思われる（たとえば、福島民報社がまとめ

た『販売店報告集』二〇一二、〈非売品〉参照)。

そのなかで、一躍世界的に有名になったのは石巻日日新聞である(『6枚の壁新聞　石巻日日新聞・東日本大震災後7日間の記録』角川SSC新書、二〇一一、参照)。同紙は石巻市を本拠とする、二〇一二年に百周年を迎える地域夕刊紙で、震災直後に手書きの「壁新聞」を発行し、避難所に掲示した。もちろん、発行を絶やしたくないという執念は見事なもので、それ自体がニュースであることには違いないが、むしろその根底にある編集方針を、今日のデジタル時代におけるジャーナリズムを考える素材として、紹介しておきたい。

その基本は、誰のために何を伝えるかである。新聞社自体が被災し多くのものを失ったとき、記者はまさに、こうした「ジャーナリズムの原点」に戻ることになるのだという話を、被災後の社屋で武内宏之・常務取締役報道部長から聞いた。平時であれば、多くの報道機関は役所や企業の発表をもとにし、あるいはパソコンや文献情報を頼りに取材をすることが多いのが実態である。しかし震災時には、自分の目・耳・鼻がすべてであったという。車もなく、自転車さえ使えないなかで、取材の原点である、自分の足で得た情報、自分自身だけが頼りの取材である。

いま多くの報道の現場で、紙面をいかに埋めるかに汲々としたり、あるいはまったく逆に、あまりに書きたいことが多くあって紙面取りができない(紙面スペースが足りない)という状況があるといわれる。しかし震災時には、ごくごく限られた紙面スペースに、すべてをそぎ落とした最も必要とされる情報だけを流す、という究極の選択を迫られたのだ。

スペースは模造紙一枚、書けることはごくわずか、時間も、日が出ているうちに避難所に掲出しなければ、電気がないから誰も読めない。したがって、朝から取材をして、社内でマジックペンに持ち替えて壁新聞を書き上げ、浸水した町を水に浸かりながら午後三時までに避難所に届ける、というのが日課であったという。

震災当日、当然電気もなく、情報から遮断された避難所の被災者が知りたかったのは、まずは被害状況の全体像であり、そのための情報を届けることが必要であった。そこで、震災翌日の壁新聞一号では、被災状況を速報した。その後必要なのは、生きるための情報である。したがって、内容は生活情報が主になっていった。

水道、電気、パソコン、輪転機……新聞発行に必要なすべてのものを失ったとき、はじめて何を伝えるべきなのか、もっと言えば、記者は何をすべきなのか、が本当に問われることになる。それをいったん体験すると、電気が戻った後の新聞作りにも、他紙との立場の違いがはっきり示されることになる。

たとえば、悲劇や美談といった人間ドラマは扱わない、という紙面方針だ。もちろんそうした話は、自分たちも被災者であるわけで、いくらでも書くことはできたであろう。百人以上の記者を投入し、湯水のようにガソリンを使う大手新聞社や放送局を、悔しくも羨ましくも思ったに違いない。しかし、被災者にいま伝えるべきはドラマでなく、被災状況と生活情報である、という強い信念があった。

また、壁新聞だけがことさらに取り上げられているが、震災翌日の十二日から六日間の手書き壁新聞の後、二日間はＡ４判のコピー新聞を発行、二十日から通常のブランケット判の新聞を、減ページで発行再開している。なお同紙は震災後から、電子版を一カ月千円で有料配信を始めるしたたかさがあることも、あわせて紹介しておきたい。

こうした地域紙の頑張りは、大船渡市に拠点を置く、東海新報にもそのままあてはまる。同社の場

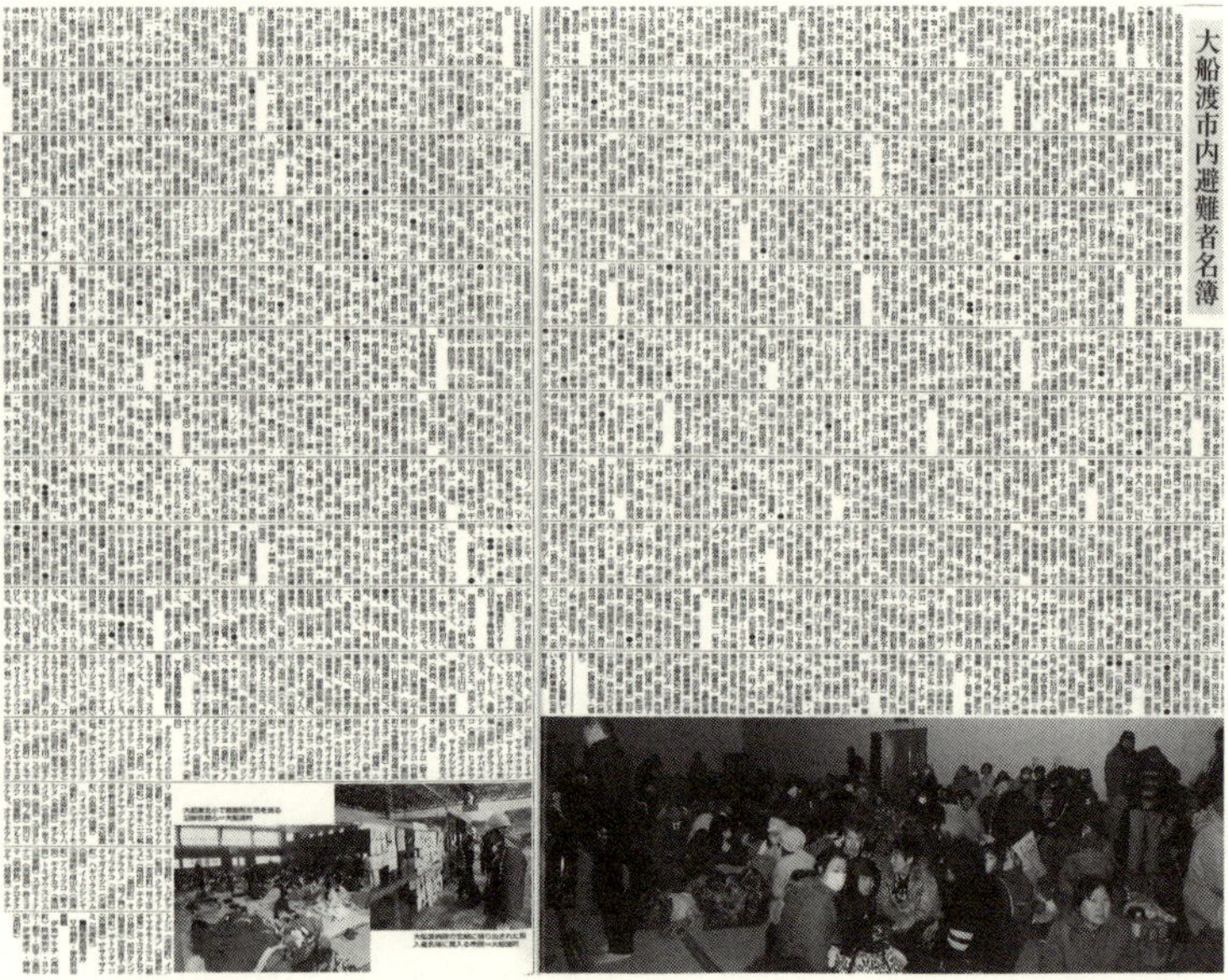
大船渡市内避難者名簿

東海新報はエリアすべての避難者名簿を毎日、掲載した（紙面は2011年3月13日）

合は、チリ津波の際に社屋が浸水し、大きな被害を受けたことから、高台に新社屋を立て、なおかつ震災一年前の二〇一〇年に自家発電設備を導入したばかりであった。このことから、新聞印刷については十三日からほぼ平常に近い印刷体制に戻ることができたものの、取材や配達はまさに石巻日日新聞と同様の厳しい局面と向かい合うことになった（十二日については、輪転機の動力切り替えが間に合わず、カラーコピーの号外を配布した）。

報道内容は被災者への必要情報を最優先し、その最たるものとして、カバーエリアすべての避難所に記者を派遣、張り出された名簿を毎日更新しながら、地区ごとに連日、紙面化した。手書きの名簿なので、当然に判別不能の字も存在し、その部分が●で示された紙面からは、臨場感が窺える（残念なことに、同社役員の一人が津波の犠牲になった)。

このように、電気などのライフラインが復旧していなかったり、そもそもネットメディアになじみがない被災者にとっては、地元紙が支えになった。その情報の中身は、被災状況によって大きく異なっており、宮城圏域では入浴情報が重宝される一方、福島圏域では放射能汚染情報が大切である、という具合だ。

2　〈二の矢〉のつまずき

広すぎて伝えられない

震災後、一週間を過ぎたあたりから(一部は少し前の震災三日後くらいから)、伝統メディアはその力を十分には発揮できない状態に陥った。それは主に、被災地域・報道対象の広範さと深刻さによるものと判断できる。①凄惨すぎて悲惨さを伝え切れない、②広範すぎて取材できない、③危険すぎて現場に近寄れない、④事象が専門的で踏み込めない——という問題を抱えることによる。

たとえば、安否情報は中途半端なものにならざるをえず、ＮＨＫは教育チャンネル(ＥＴＶ)を安否情報チャンネルに切り替えたが、事実上、途中で打ち切る結果になり、その後、グーグルの「パーソンファインダー」(Person Finder＝消息情報)に相乗りすることになった。安否情報が機能していないという声は初期の段階からあり、撮影もしくは投稿された映像をデータベース化しようという案もあったようだが、なかなか切り替えが進まなかった。とりわけＮＨＫは、中越沖地震の際にニセ情報を放送してしまったことの痛手が影響したといわれる。

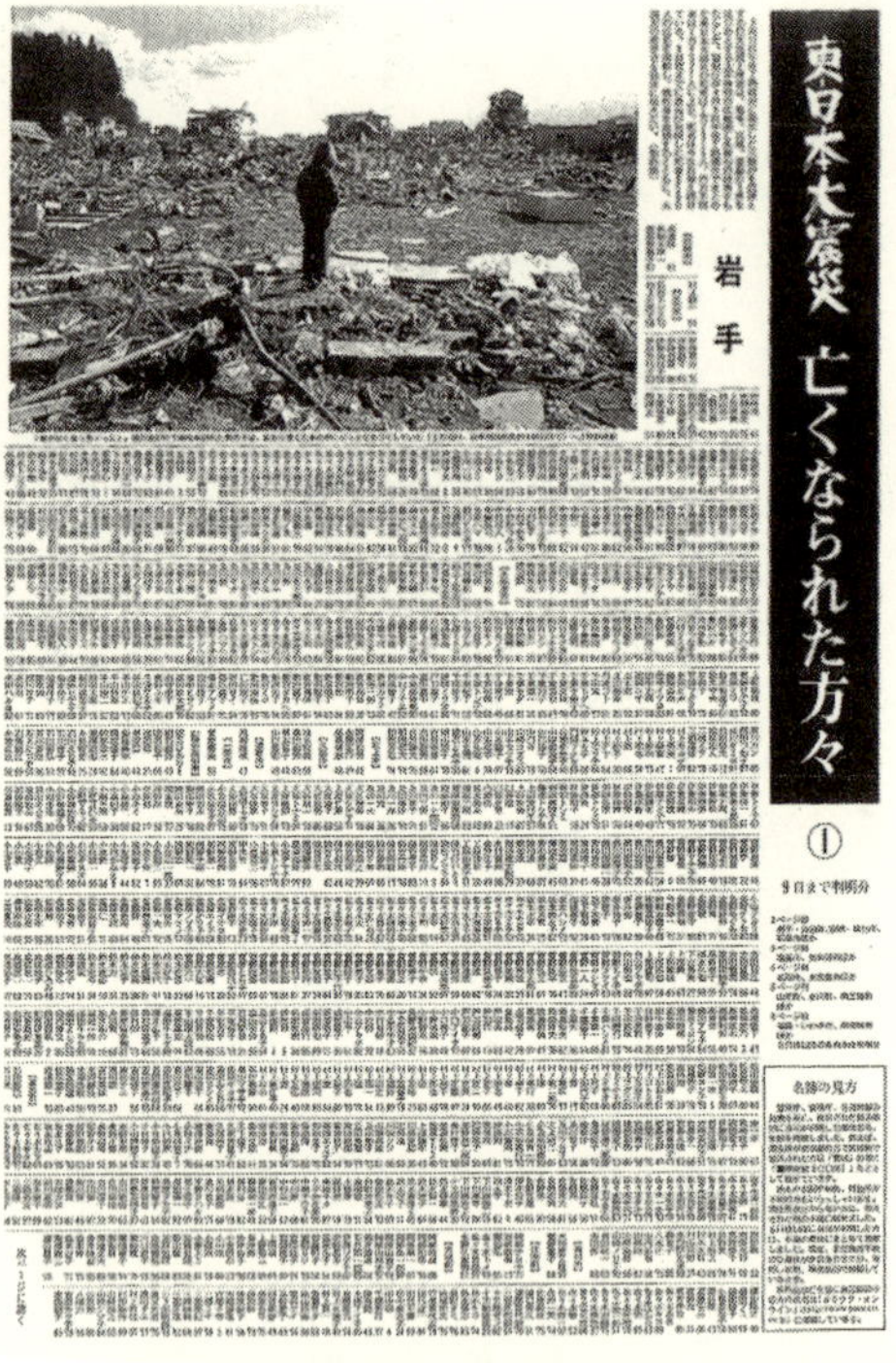

震災後１カ月めの読売新聞（2011年4月11日）

なお、グーグルは東日本大震災の特設サイトを開設し、そこでは、安否情報を検索・確認できるパーソンファインダー（http://goo.gl/sagas もしくは http://japan.person-finder.appspot.com/）、被災地向けの生活情報、自動車通行実績情報マップのほか、義援金受付や、震災関連の情報を提供した。動物（ペット）の消息情報の「アニマルファインダー」や、被災した地域の店や企業の営業情報や最新の状況を検索できる「ビジネスファインダー」などを、時間をおかず次々に「増設」した。なおパーソンファインダーは、立ち上げから約半年後の二〇一一年十月三十日でサービスを終了している。

こうした安否情報の扱いの「揺れ」は、新聞も同様である。遺体の身元確認が進まないこともあり、安否・消息情報をきちんと紙面化することは、極めて難しい状況にあった。亡くなったことが確認された人、確認されてはいないが推定される人、遺体の特定ができない人、行方不明者と、大きくは四分類されるといわれるが、この扱いについても報道各社で違いが生じた。

たとえば毎日新聞は、早い段階で死亡者一覧の掲載を地方版に限定し、しかも原則として身元確認済みのみを掲載したが、身元の確認作業が極めて難航していたため、新聞によっては未確認を含む死亡者の数字や氏名を掲載する場合もあった。そうしたなか、読売新聞は震災後一カ月を機に、警察庁調べの死亡者一覧を掲載した。その後、一年を機に犠牲者名簿を掲載している（一年が経過した二〇一二年三月段階で、他の新聞も同様の措置をとったところが少なくない）。

また、取材地域の偏りは早い段階から現われ始めていた。被災地域が広い上に分断されているため、直線距離では五キロ、一〇キロであっても、いったん内陸を回らないと行くことができない。その結果、行きやすい場所に取材が集中するという傾向が見られた。とりわけテレビの場合は、二週間ほどが経過し通常の番組編成に戻す段になって、より問題が顕在化したといえる。なぜなら、現行の番組作りの手法として各局とも、番組ごとに独立した編集権をもち、独自に取材・放送することが求められている。そうすると、番組枠が邪魔をして、厳しい時間的制約と制作コストの限界から、手っ取り早い取材結果を求めがちになるということだ。番組ごとに最も行きやすい場所に取材に行って、早く帰ってきて情報を局にあげようとするので、ますます時間がかかる取材は敬遠されることになった（もちろん、現地のガソリン不足などもあり、もともと取材の制約は大きかった）。

たとえば多くの在京テレビ局（キー局）は当初、その取材対象地域を気仙沼、南三陸、陸前高田といった地区に集中させた。しかもその地区の中でも、特定の大規模避難所を取材拠点にする傾向にあった。したがって相当の期間、テレビにおいて被災地は特定の地点、被災者がいる特定の学校に限定された。その結果、多くの支援物資はそうした場所にのみ集中的に届けられ、ほんのわずかしか離れていない別の避難所では、飲み水にも苦労するという事態が生じたのである。

現場中継の位置取りなどでの混乱や、各局のカメラクルーがライトを照らして繰り返し取材に入ることによる被災者の苛立ち、子どもに被災体験を詳しく聞くなど、いわゆるメディアスクラム状態（報道陣の過熱集中取材）も一部では伝えられた。ただし初期の段階では多くの場所で、むしろ被災者の側が進んで体験を語ってくれた、と取材記者たちは語る。また、テレビに映ることや紙面化されることで、生存（所在）情報を伝える効果があるため、報道機関と被災者の双方に協力関係が生まれたともいう。その意味では、個人情報保護の過剰反応ともいえる、昨今進んできた「匿名社会」とは違った状況が、被災現場では生まれていた。

現場にいない記者

原発事故に関しては、二〇一二年夏現在、メディアが現場に直接立ち入ることが原則として許されず、いまだに情報を政府もしくは東電の発表に頼らざるをえない状況がある。しかも、事象が専門的であるがゆえに、会見などで記者が発表に対して踏み込めないでいるという問題も、とりわけ初期の段階では数多く指摘された。しかしだからといって、大手報道機関が一致して原発敷地内への取材を正式要請（あるいは抗議）した、といった話は聞かない（少なくとも文書では行なっていないし、ましてや法的手続きをとったこともない）。あえていえば、「発表待ち」状況にあるということだ。

この取材制限は前にも触れたが、ここで改めて二点を指摘しておく。一つは、自主的な一〇ないし二〇キロ圏内の取材自粛行動の是否である。少なくとも発生からしばらくの間は、原子炉そのものの爆発や放射能の大量放出という「最悪の事態」がありうる状況であると、多くの社では認識していたという。それゆえに、むしろ取材マニュアル云々よりも、目前の危険回避のために、突然の事態が起きても生命の危険がないように、原発からある程度距離を保つという判断がなされるのは、当然の帰結であったとされる。

もしそうであるならば、次には、こうした危険性が紙面や番組で十分伝わっていたのか、が問題になる。確かにメルトダウンの可能性も、高濃度放射能の大量飛散の可能性も伝えていた。さらには、いつ何時、再爆発が起きるかもしれない危険性も伝えていた。しかし一方で、限定的な避難勧告を出す政府発表を伝えるだけで、場合によってはそれ以上に、住民にとって差し迫った生命の危険があるとの認識を持ちうる紙面・番組作りをしたかどうかを、報道機関が改めて自らに問う必要があるだろう。

もう一つは、報道機関自らがその危険性を認識していた三月中旬の一週間から十日間、自主的か社命かの違いはあるものの、在京の報道機関がほぼ一律に県外退避した取材自粛行動の是否である。この退避行動についてはどのような理由によるものかを、いまだ報道機関が明らかにしていない面もあり、推測の域を出ない。しかし、紙面化あるいは番組放送できるまでの確証はなくとも、報道した以上の危険性の認識があった可能性や、そうしたいわばインサイダー情報はないものの、従来の取材の経験則と安全第一の観点から、最大限の危険回避行動を指示した可能性などが考えられる（雲仙普賢岳の火砕流取材で、取材陣から多くの犠牲者を出した経験を持っている世代が編集幹部であった）。

あるいはもっと単純に、低線量被曝（その段階では二〇ないし三〇ミリシーベルト程度の被曝可能性が想定されていたと聞く）の危険性があった以上、その被曝可能性を回避する方針が取られた可能性もあるだろう。そのいずれも、当時の社もしくは現場記者の判断として、それ自体が誤りであるとはいえまい。

しかしこの点に関しては、結果が問われるのではないか。なぜなら一方で、「直ちに影響はない」との官発表が、強い力を持って読者・視聴者に伝えられた事実は否定しえないからだ。ここに、新聞・放送局は危険性を十分に伝えたという認識と、一般市民の、メディアは危険情報を隠していたというイメージのギャップが生まれたのではないか。しかも決定的なのは、住民はメディアが伝える官情報をもとに、そこに住み続け、メディアは「同じ情報」を基にしつつも、自らの判断で危険回避のために居住地域から退避する、という状況が生まれたことだろう。

なお取材マニュアルは、ICPR勧告に基づく放射線障害防止法などで定められている安全基準の年間一ミリシーベルトを、取材立ち入り制限のおおよその基準としている。この値は、一般人が一年間に浴びる放射線量の限度であるが、その積算放射線量からは日常生活のなかで自然に浴びる量や医療目的は除かれる。今回の場合は記者も、放射線技師や原発作業員とは違って、一般人として同様の基準を適用したことになる。

たとえば、朝日新聞社は二〇〇八年改訂の「原子力事故取材の手引き」で、記者の被曝線量の限度を定め、取材後は検診を受けるよう求めている。読売新聞社は、一九九八年作成のマニュアルを〇三年に見直し、記者に線量計を配備し、避難指示区域や屋内退避区域に入らないよう定めている。共同通信社は原子力取材の指針を作成、〇八年に改訂しており、福島民報、福島民友の福島県紙を含め多くの地方紙は、この「共同通信ルール」に準拠している。

NHKの場合は「取材・制作の手引き」で、原子力事故にあたっては「避難や屋内退避が住民に対して勧告された区域（防護対策区域）に立ち入っての取材は、原則として行わない」としている。これによって、放射線量による縛りとともに、国が定めた一定地域内の取材立ち入りは原則的に制限されることになる。ネット上では三月二十一日付のNHK報道局発の通知文書が出回っており、そこでは「今のところ、原発から半径二〇キロに出している避難指示と、二〇キロから三〇キロまでに出している屋内退避の指示を変更する予定はありません。我々の取材も政府の指示に従い行うことが原則です」としている。

民放局の例としてはたとえば、「事故の取材でも安全に配慮することは当然だが、とりわけ原子力施設の事故の取材では、十分な配慮が必要である。放射能や放射線が肉眼では見えないものだけに、現場で取材する者はその危険性を把握することが極めて難しい。取材にあたっては常に線量計などの装備を携行し、立ち入りが禁止された地域には決して入らない」（テレビ東京ウエブサイトから）といったものがある。ただし、より詳細には「原子力事故取材安全マニュアル」に拠るとしており、その内規は明らかになっていない。

政府が、子どもの許容放射線量を年間二〇ミリシーベルトと規定したことと比べても、報道機関の基準値はその二〇分の一以下で、かなり低いことがわかる。これを単純に毎時に直すと約〇・一一マイクロシーベルトとなり、事故の長期化を想定すると、立入禁止区域に限らず相当広範囲にわたって、常駐取材することに支障が出ることになる。だからといって、報道機関の設定基準が厳しすぎるとすれば、そもそもいまも存在する国際基準の意味がなくなってしまい、その逆ならば政府の決定に根拠がないことになるという矛盾が生じている。

なお、これらはいわゆる大手メディア（伝統メディア）における基準であって、フリージャーナリストは初期の段階から、二〇キロはおろか一〇キロ圏内にも取材で入っている（たとえば『DAYS JAPAN』デイズジャパン、『環』藤原書店、掲載の写真など）。ただし、一部ネットメディアを中心に、新聞やテレビが三〇キロ圏内の取材を行なっていないとの情報が流れているが、これは事実に反する。相馬地区には常駐記者を配するほか、飯舘村などへも取材陣が入っている。

3　テレビはどう役に立ったのか

面から個への転換

テレビメディアの大きな強みは、電波メディア、免許メディア、デジタルメディア、映像メディア、習慣メディアであることに依拠している。しかしそれらが、今回の震災報道では足を引っ張った面も少なからずあった。

放送メディアは「電波」を利用することで、広域・強力・迅速な発信力を保持している。しかしそのために意図的に捨ててしまっている面も少なくないことに、改めて気づかされた。それは、広い範囲の視聴者を対象にしているがゆえに、目の前の最も伝えたいことを、本当に伝えたい人にピンポイントで伝えることができない、というジレンマである。

震災直後に被災地は、被災状況の報道といち早い救援を求めた。テレビはその期待に応え、被災地と全国を同時に結び、またたく間に多くの救援物資が被災地に届くという結果をもたらした。それはまた、映像メディアの特性である、状況把握の容易さと共感の伝播の結果でもあった。

しかし一方、テレビの取材はあくまで点でしかなく、面（広さ）が求められる取材には十分な対応ができなかった。それは、電波を発信するための装置が必要であり、自家発電装置を積んだ中継車が入らない場所では、取材ができなかったためである。もちろん、カメラを担いでどこにでも行けるのは事実だが、送信手段をもたなければ、被災地の様子をすぐに送ることはできず、取材の苦労は生かされなくなってしまうのだ。

その点でいえば、初期報道での成果は、厳密には二日目あるいは三日目以降の話であって、震災当日は、正確な被災情報はほとんど報道されなかったといってよい。なぜなら、先に述べたとおりほとんどすべての放送局がヘリを失い、現地映像は、数少ない「お天気カメラ」に頼る以外は、もっぱら東京からの映像に終始したからである。

したがって、筆者も含め多くの者は、当日の晩は、東京の帰宅困難者の映像と、津波が沿岸部に迫る、固定カメラの繰り返し映像を見るほかはなかった。わずかに、ＮＨＫヘリによって撮影された空撮映像と、地元放送局が撮影および入手したものを除いては、である（新聞社でも同様の状況があり、毎日新聞のヘリがちょうど飛行中であったことが幸いして、津波被害の一部を撮影し翌日紙面に掲載した）。

すぐに求められた生存情報の発信については、あくまでもテレビは全体状況を映し出す装置であって、個人メッセージの伝言には不向きであった。しかしそれでも、現場記者やカメラスタッフの自然発生的な努力の結果、テレビ局の現場スタッフなら誰もが持参している「スケッチブック」にメッセージを書いてもらい、それを顔とともに流すという、独特の番組手法を生み出していった。

その一つの成果は、テレビ朝日が一週間目の深夜に放送した「つながろう！ニッポン　被災地からのメッセージ」（www.tv-asahi.co.jp/Top09/top/tsunagarou/）である。そこでは、取材スタッフが撮りためたメッセージが、延々と流され続けた。それはまさに、被災地において電話もパソコンもなく連絡手段が途絶えた中で、自分が生きていることを「誰か」に見てほしいという切実な願いに応えた、窮余の番組手法ということができるだろう。

同局はその後、同シリーズで、現場記者の悩みを描いた特番「大震災とテレビ」などを放映している。同様の試みは、他局においてもほぼ同時に始まっており、それは二〇一二年現在においても続いている。たとえば、「つながろうニッポン!」(日本テレビ)の「被災地からメッセージ」や「応援メッセージ」である(www.ntv.co.jp/tsunagarou)。しかしそこには当然限界があり、当時、被災地で最も期待された「個人と個人をつなげる」ことが、テレビではいかに難しいかを示すこととなった。

被災地向け東京情報の矛盾

さらに問題になったのは、誰のための情報か、ということである。たとえば、初期報道でその取材・報道力を発揮したキー局の視聴者は、あくまで東京圏の住民である。テレビの生命線である視聴率の数字は、東京圏でいかに見られたかで表わされる。被災地でどれほど見られようが、避難者にどんなに評価されようが、それは数字には反映されず、番組作りであくまで優先されるのは、東京人が何を望んでいるかであった。

そうなると、当初は被災状況の情報を望んだ東京人も、「それ以上」の新しい情報がないとわかるとすぐに、手のひらを返したように「それ以外」のニュースを求めるようになる。あるいは、被災地で一本のペットボトルが次に来るかどうかの生死の問題で悩んでいる時、東京における最大の関心事は水買占めのニュースであり、被災地避難所の最新ニュースは、後回しにされるようになっていった。

なお、テレビは震災直後から特番(特別番組編成)を組み、おおよそ七十二時間にわたり、スタジオを中心とする生番組が放送された。すでに発表された情報に従うと、東京の民放五局で、広告抜きの全時間帯特番が組まれたのは三月十二日深夜までで、その後は順次、通常編成に戻っていった。ただし、実際には随時特番を放映するほか、L字（逆L字）画面で関連情報を伝えるなどした。このL字画面は、被災地ではその後も半年近く続いたほか、全国ニュース枠のL字に、地方ニュース枠のL字を二重に重ねる、「ダブルL字」などと称される画面も登場した。

NHKの逆L字画面（2012年の台風情報時のもの）

通常編成といっても、放映される広告はほとんど公共広告（AC広告）であって、実態としてはさらに二週間から一カ月程度、「特別な状態」が続いたことになる。広告はACのみという状況については、同じ広告ばかりで飽きる、広告中の音が耳障りだなどのクレームが早い段階から寄せられた。これには音をはずすなどの対応をしたものの、非常時の広告のあり方については、放送局が差し替えを決定するのではなく、一般には広告を出稿しているスポンサー（広告主）の意向で決める仕組みになっているため、放送局としての対応には限界があることが、改めて明らかになった。すなわち、通常編成である限り、その番組時間帯のスポンサーは事前に決まっており、放送局の意向で外す、もしくは公共広告に差し替えることは、日常的には起こりえない。

今回、多くの（当初においては「すべて」の）広告が差し替えられたのは、広告主サイドの「横並び」意識や、実際に広告出稿を差配している広告代理店の意向が、強く働いたものと想定される。その「流さなかった」広告に対して、広告料金を請求できるかどうかについては、事情に応じて対応が異なったといわれる。なお、同じ状況は新聞にもあり、一面に広告が戻るのは二週間後、終面にラジオ・テレビ欄が戻るのは一カ月後であった（今日、多くの新聞では終面にラテ欄を掲載している）。

テレビに関していえば、一年を経て広告主も戻り（広告収入は前年同期を上回っている）、視聴者も同様にテレビの前に座ってくれるなかで（視聴率も有意の差はない）、あえて番組制作の手法を変える「冒険」をする意味は、なかったということであろう。少なくとも、違った「質」や「考え方」を有する番組は生まれなかった。その意味で、3・11を境にテレビが変わる可能性はあったのだが、政治同様、既得権益を維持するためにカタチを守ることに熱心であり、変化を求める声は幻想に終わった感がある。それは裏返せば、被災の現実そのものに対しても真剣に向きあっていないのではないかとの批判に、十分に応えきれていないということである。

4 放送の特性と危うさ

緊急災害放送の限界

テレビは免許メディアであるゆえに、通常は行政との緊密な連携が可能であったり、取材・報道上の特恵的待遇に浴しているわけであるが、そこが裏目に出た面もあったと思われる。それが、緊急災害放送の問題である。放送局は緊急時の放送に関し、法に基づく規定とともに、マニュアル化された放送手順を定め、日常的な「訓練」を行なっている。この法制度上の問題点については、第7章で詳述するとして、ここでは緊急避難放送に潜む、放送メディアの問題点を見ておこう。

一つ目のキーワードは「安心」である。放送（ここでは主にテレビ局を指すこととする）が、最初の段階で津波に関する警報や観測数値を報じたことによって、視聴者に「安心」を与え、それが避難行動を「妨害」したのではないか、との指摘がなされている。たとえば岩手・釜石の場合、最初の段階で津波三メートルの予想を気象庁が発表し、それをメディアは報じた。あるいは、最初の到達津波の観測地としてセンチ単位（一メートル以下）の発表を報じた。もちろんその後、情報は更新されたわけだが、すでにその時点では停電などによって、住民が更新された情報を得ることは不可能であった。

ここで問題となったのは、テレビやラジオの初期数値の報道が、結果的に住民を誤誘導し、適切な避難行動をとるのをためらわせたのではないか、ということである。もちろん津波の危険性は、十メートルは危険で一メートルなら安全ということではない。なぜなら、一メートルの津波が来れば、成人男性がまともに立っていられないほどの大きな力がかかるので、ともかく「逃げる」ことが必要だからである。しかしそれでも、気象庁の「官」情報をそのまま流すことで、放送局自身がまず「安心」してしまい、その後の危機を十分に予測・共有することができなかったのではないかと思われる。

こうした「官」情報への依拠は、地震や津波の警報・避難情報の場合、通常より強まるのが常である。しかも、可能な限り早く、すなわち官の発表とほぼ同時に、リアルタイムで「そのまま」伝えることをよしとしてきた経緯がある。しかし今回の場合は、そうした人的・技術的な努力が裏目に出てしまった側面があることになる。だからこそ放送局にとっては、まさに今回の震災の教訓として、とりわけ災害発生直後（津波との関係でいえばおおよそ三〇分間）の放送のあり方が、根本的に問い直されなければならない。

その検討の結果、対処法として、二〇一二年に入ってから気象庁と報道機関は、いくつかの取り決めをした。その一つは、気象庁の初期段階の発表から数値をはずすということだ。先ほどの例でいうならば、三メートルとはいわず、「大きな津波の危険性がある」と発表し、メディアはそれを伝えるように変更した。二〇一二年夏の九州を襲った豪雨に際しても、そのマニュアルが生かされ、「かつて経験をしたことがないような大雨」という表現で、住民に注意を呼びかけた。

確かにこれは一つの方法であろう。視聴者が被害を矮小化して認識することを事前に防止するという意味では、正しいのかもしれない。しかし、発表情報は常に具体的に、知りえた情報を迅速に公表することが大原則だ。誤って伝わる可能性があるという理由で、所有する情報を官が意図的に伏せるという行為を、メディアが勧奨することには強い違和感を覚える。そこには、今回の放射能汚染の危険性を、「直ちに健康に影響がない」と発表した官邸と通じるものが感じられるのである。

こうした「安全」発表を繰り返した当時の官邸の理由は、「国民に過度なパニックを起こさせない」ためであった。しかし、この発表方法には問題があることが指摘され、少なくともメディアがこのような方法を現時点で是認しているとは思えない。にもかかわらず、津波に関しては具体的な数値データを秘匿し、気象庁の「主観的」な言葉を伝えるだけでよいのかどうかは、疑問である。

報道の役割は、気象庁を含む官が持っている情報を包み隠さず迅速に公表することを促し、その正確なデータをもとに、報道機関自らの責任と専門的知識や経験によって、住民（視聴者や読者）に危険を伝えることであろう。その結果、伝える言葉は、気象庁が発表するのと同じものになるかもしれない。しかし発表のままを伝えるのと、発表データを咀嚼し自らの言葉として伝えるのでは、似て非なるものになるだろう。

安心という側面ではもう一つ、放送局スタッフの内面に巣くう「安心」感を排除することもまた、大きな課題であると思う。どの放送局も、地震に対する対処法は極めてよく整備されていて、かつ日常的にも訓練されている。こうした訓練が繰り返されている状況で、形式・前例に則り、マニュアルをこなすことできちんと報道できるという「安心」感を抱いてしまっていたのではないか。

震災当時、誰に何を伝えたかをもう一度振り返ってみよう。自動発信の警報に切迫感が欠如していたり、東京のスタジオ（あるいはニュースを担当する報道局スタッフ）には、津波の脅威への想像力の欠如はなかっただろうか。そのために、実際に大津波が来るまでは、強い避難の呼びかけがほとんどないままに推移したのではないか。また首都圏情報への傾斜も、どの局にも見られた特徴であるが、ヘリが飛ばせず空撮による全体状況の把握が難しい中で、ますます取材可能な東京の被災情報に集中し、その結果、沿岸部の津波の危険性への警告が弱まってしまったのではないだろうか。

たとえばＮＨＫ総合テレビでは、地震発生十五分後に、東京関連の映像と東北地域の映像がほぼ半々になり、首都圏情報への片寄りがみられた。これは、津波避難の情報が相対的に少なくなったということである。それはまた、取りやすい情報に集中した結果でもあった。多くの場合、お天気カメラやスタジオ情報への依存が見られ、取材エリアが限定されることで、お台場の火事がことさら大きくかつ繰り返し報じられるといった、いわば局部拡大症候群とでも呼べるような事態が発生した。

しかも、どの局もほぼ同じような映像を使用するという状況が長く続いた。こうした放送局の対応は、震災直後にとどまらず、その後、何週間も続くことになる。それは先にも触れたように、被災地沿岸部情報の欠如、とりわけ甚大な被害地点ほど情報が空白化するといった、「情報のドーナツ化現象」として顕著にみられた。

もう一つのキーワードが「躊躇」である。放送局は、最大限の避難呼びかけを「躊躇」した可能性はなかっただろうか。確かに、各放送局とも、震度にあわせた放送用の原稿が完備されており、そこに読み手（アナウンサー）の「主観」や「自己判断」が入る余地はない。むしろ、いかなる緊急事態があっても、慌てることなくマニュアルどおり進めることは大切である。しかし一方で、現場の「誰か」がもう一歩踏み込んだ強い表現にすること、あるいはマニュアル上の一段強い表現にするという判断が、必要な場合があるだろう。

もちろんそうした決断には、結果論として間違える可能性がつきまとう。ましてや現場のアナウンサーが、独断で強い警告を発するなど、日本の企業風土では考えづらい。マニュアル化された放送システムの中ではなおさらだ。一方で、現場責任者になればなるほど、これまた万が一の失敗を恐れる心理が働くことも想像され、それがより強い表現をためらわせる結果になるのではないか。その際には、過去の経験が邪魔をした可能性もある。過去が大丈夫だったから、今回もたぶん大丈夫との思いであり、それこそが思い切りを「躊躇」させた原因ではないかと考える。

もう一つは、画にこだわりすぎていなかったか、という問題である。文字や音声だけになることを「躊躇」し、静かな海面を映して最大限の避難を勧めることをためらった可能性が感じられる。これらはいずれも、確証が取れない放送現場のスタッフの内面の問題ではあるが、放送メディアの特性に起因しているだけに、常にその「危険性」があることを知っておくべきであろう。それが「次」の災害において、住民本位の報道につながると考えられる。

放送の特性を検証する

そのほかの放送特性についても簡単に触れておこう。一つには、アナログからデジタルに転換し、デジタル・メディアであるがゆえにインターネットなどを通じてオンライン再送信が容易にでき、その結果、全国に情報の「拡散」がなされたことが挙げられる。のちに改めて触れる、テレビ・ラジオとネットの連携の前提として、フルデジタル化されたテレビであることや、震災前においてラジオのデジタル変換がすでに実施されていたことが、大きな意味を持った。

もう一つは、習慣メディアであるということだ。停電になったり、テレビ受像機が流されるなど、実際にどの程度の視聴者・聴取者が、震災後に番組に接することができたかという問題はあるにせよ、放送すること自体が日常性の継続につながり、安心感を醸成したといえるであろう。たとえば、いつものラジオ番組のパーソナリティの声によって落ち着きを取り戻したとか、不安の夜をかろうじて過ごすことができた、といった反応が被災地では広く聞かれる。

なお今回の被害について、情報伝達の観点からは以下のことがいえよう。第一に、震災が午後の時間帯であったため、子どもは学校、親は職場もしくは自宅など、家族が分散していた場合が多かった。そのために、すぐ避難するというより、まず学校に迎えに行くといった「移動行動」の傾向が強かった。また、そうした移動行動を優先させたため、その間、情報収集意識が希薄で、さらには「最悪」の事態を想定させるような更新情報を運よく見聞きしたとしても、その時点から高台への避難は時間的に無理だったことが挙げられる。

あるいは、海から遠い平野部における危機意識の希薄さや、遠いから時間的な余裕があると判断する意識の問題が挙げられる。さらに、停電によってテレビ・ラジオを通じた避難情報がほとんど伝わらず、何らかの形で警報にふれた人の比率の低さが目立った。それに関連して、ワンセグの有用性を指摘する声が少なくないが、筆者の現地調査の範囲では、ワンセグを避難時に活用した例はほとんどなく、むしろワンセグを聞いていたのは、いち早く避難し、安全な場所にいた人の場合が多かった。

第三には、津波に対する危険意識の問題である。「津波テンデンコ」は「一人でまず逃げろ」の教えであるが、同時に、単に高台に逃げるというだけではなく、事前に津波の危険性に対する正しい認識、それに基づく最善の避難方法の判断力が備わっていることが大切である。それは今回、釜石地区の子どもたちにほとんど被害がなかったことから、専門家の間で再認識されている事柄でもある。彼らの避難実態を検証すると、単純に決められた避難所である高台に逃げたのではなく、高台まで逃げるのは間に合わないと判断した場合は、近くの高い建物に上がるなど、それぞれ「自分の」判断があったことがわかってきている。

したがって、情報はそれ自体の正確さとともに、受け取る側のリテラシーが高いことが重要になってくる。こうした情報咀嚼力がしっかりしていればパニックは起こりえないだろうし、生データを伝えた方が、むしろ適切な対処が可能になるだろう。

従来は、自然災害報道の「約束事」として、行政（気象庁）は住民に「危険」情報を隠さず発表し、メディアはその官発表を「そのまま」に、そしてすぐに（可能な限りリアルタイムで）報道することとしていた。たとえば、気象庁の記者会見をそのまま生中継するなどの方法がこれに当たる。この従来型の報道スタイルは、少なくともこれまでの自然災害の場合はうまく機能していたといえる。

しかし残念ながら今回は、先に述べたように、気象庁の過小評価したデータを「そのまま」放送することが、地震直後の津波からの避難を遅らせるという結果を招いた。さらにその後、自然災害から原発事故へという人災との複合災害に拡大する中で、情報の流れの元締め（いわば災害情報のコントロール権）が気象庁ではなく官邸に移り、従来の自然災害の報道パターンがそのまま通用しない事態となった。

そうしたなかで、あるいはそれにもかかわらず、これまでの緊急災害報道のマニュアルに則ってテレビ報道を行なった結果、視聴者からみて重要なことが「伝わらない」という大きな失敗を招いたといえるだろう。これまでなら、気象庁が情報を意図的に隠すことは「想定外」であったが、今回のような事態になると、まさに政府は情報を隠す可能性があるということ、そしてありのままの放送（発表「そのまま」の放送）は、結果的に誤報になる可能性があることを学んだわけである。今後は、テレビをはじめメディアは、災害情報の伝え方を見直す必要があるといえる。

第3章　新興メディアは何を担ったか

1　多様な役割を果たす

伝統メディアの強みと弱みが交錯した状況で、その働きについては一定の評価が下せるが、新興メディアについては、全体像が十分につかみきれない感がある。それでもなお、今回の震災時にある社会的役割を果たしたことは紛れもない事実であり、しかも被災者の生活を支えるという点では、伝統メディア以上の力を発揮したとの評価も少なくない。ここでは新興メディア単体としてではなく、伝統メディアとの関係もしくは対比の中で見えてきたものを、順次検証していく。

インターネットメディアの存在感

新興メディアについては、震災の初期段階でツイッター（Twitter）、ミクシィ（Mixi）、フェイスブック（facebook）といったソーシャル系メディアの代表格であるソーシャル・ネットワーキング・サービス（SNS）の実効性が示されたといえよう（なお、ツイッター自身はSNSではないとしている）。ツイッターの地域別利用は、二〇一〇年の段階で、日本が米国についで第二位を占めていて、ネット上の発信・受信はすでに日本社会に広く浸透し、日常化している（二〇一二年にはブラジルに抜かれ三位となった）。震災前段階において、その利用者数は一三〇〇万人といわれていたのが、震災後はさらに利用者数を伸ばし、二〇一二年には三五〇〇万人になった（フランス調査会社調べ）。

実際、先日、筆者がある高校を訪問した際、彼・彼女らのコミュニケーションツールとして「ニュース」を知る手段としてあがったのは、新聞でもテレビでもなく、まさにツイッターであった。ツイッターは、友人との絆（つながり）を確認するだけではなく、社会を知る窓にもなっている。少し前であれば、そうした役割を果たしていたのがミクシィだが、時代はさらに転回し、SNSが生活基盤となっているのである。

いわゆるデジタルコンテンツの多くは、メールやケータイ小説に代表されるように、モバイル端末としての〈ケータイ〉を通じて、極めて活発にやり取りされてきた。携帯電話の出自は電話であっても、もはや多くのユーザーにとっては、電話機ではなくコンテンツ受送信のための道具となっている。

それゆえ今回の震災時にも、当たり前に情報入手のための積極的な活用がなされたのであって、震災だから特別に利用されたのではない。とりわけSNSは、伝統メディアが不得意とする狭い範囲に合わせた、詳細な情報（ピンポイントなミクロ情報）の発信という点で、伝統メディアによる広範囲の全体状況を扱う情報とあわせて重層的な情報発信を実現し、たとえば首都圏の帰宅難民にはツイッターが、被災地周縁ではミクシィが、海外とのやり取りではフェイスブックが役立った、という声が聞かれた。

インターネット上では、停電エリア情報については、即座に停電エリア時間検索サイトが立ち上がるなど、公式情報やそれを報じる伝統メディアの不十分さを、いち早く一般ユーザーが補う状況が現われた。ただし、震災発生から相当長期間、被災地では電気などのライフラインや通信回線が回復せず、これら新興メディアの活用も、伝統メディアと同じく、あるいはそれ以上に限定的にならざるをえなかった。

一時的な電力不足によって、震災直後、東京電力は「計画停電」を実施したが、そのエリアが直前まで公表されなかったり、公表地域と実施地域が異なるなど混乱がみられた。このように東電発表が不親切で不確かなうえ、伝統メディアも十分に対応できないなか、ネット上でいち早く自主的に立ち上げられた停電エリア情報サイトが、迅速かつ使い勝手のよい情報（停電エリア時間検索）を提供した（三月十六日中にはグーグルが、計画停電の実施地域をグーグルマップ上に表示する「計画停電情報マップ」を公開し、広く利用されたといわれる）。

さらに有名人のツイッターにつながることでトップダウン式に救援が実行されたとか、津田大介や堀江貴史などフォロワーの多い人のツイッターが必要情報をつなぎ、双方向性を発揮して電子掲示板的な役割を果たした（ソーシャルメディアの果たした役割については、たとえば、津田大介「ソーシャルメディアは東北を再生可能か――ローカルコミュニティの自立と復興」『思想地図β』vol. 2、コンテクチュアズ、二〇一一、を参照）。

こうしたトップダウン方式で素早い対応に結びついた例として、たとえば、猪瀬直樹・東京都副知事（当時）のツイッターに流すと石原都政が動く、孫正義に言えばソフトバンク通信がつながるようになる、などともいわれた。ツイッター効果かどうかは別として、少なくとも宮城県の一部被災地ではソフトバンクがいち早く復旧したといわれ、各所に簡易型の中継器が置かれているのを見かけた。

仙台在住だった歌人・俵万智は、こうした状況を「言葉のバケツリレー」と評しているが、言いえて妙である。あとでも触れる節電キャンペーンなどで、ユーザー間に広範かつ迅速に共感を広げたことも、大きな意味があった。これはその後の、反（脱）原発デモの呼びかけなどへとつながっていった。その後、今日に至るまで、被災地域と被災しなかった地域とが災害情報を共有するために、また被災地域に生活情報を継続的かつ素早く伝えるうえで、新興メディアは大きな役割を果たし続けている。それゆえ、自治体も積極的に、ツイッターなどによる情報発信を開始したところである。

ツイッター公式ブログ（http://blog.jp.twitter.com/2011/06/blog-post_30.html）では、「東日本大地震における地球規模の情報の流れ」のタイトルのもと、「地震とその直後の津波の際に合計五回にわたって5000TPS（秒間ツイート）を超えた」と記録されている。また地震直後には、日本国内から発信されるツイート数が五〇〇％にも跳ね上がったという。さらに地震後の一時間における、日本発のツイートに対するリツイートの流れは、北米・欧州・東アジア・オセアニアに瞬く間に広がっていった。

ポータルメディアの力強さ

もう一つ特筆すべきは、〈ポータルメディア〉の立ち上がりの速さと大きさである。ヤフーなどは災害発生直後から資金と人員を投入し、その高い情報処理・技術力によって、有益なポータルサイト運営を行なってきた。ヤフーの震災関連特設サイトは各種調査でも、そのアクセス数は群を抜いており、震災直後から現在に至るまで、震災・復興情報、原発・放射能情報のポータルサイトの役割を果たし続けている。

同サイトは、震災直後の一週間、前年同期の三割増で過去最高のアクセス数を記録、ヤフー経由のネット募金は、六日間で十億円を超えたと発表された。さらに、義援金が被災者に届きにくいと報じられると、寄付先がピンポイントで選択できる募金を始めるなど、その柔軟かつすばやい対応が、さらにユーザーの信頼感向上につながったと考えられる。ヤフーの「震災情報　東日本大震災」サイトは、二〇一一年末時点で「震災情報」、「復興支援」、「節電情報」、「原発情報」、「放射線情報」の五つのカテゴリーに分けられていた（http://info.shinsai.yahoo.co.jp/）。

ヤフーのこうした災害対応は、すでに二〇〇四年の新潟中越沖地震でも示されていた。それ以降、ヤフーでは地震速報のバナーを設置し、いち早い情報伝達をシステム化している。今回も、震災直後から「ヤフートピックス（Ｙａｈｏｏ！ニューストピックス）」は震災対応として機能したし、東電の「計画停電マップ」は計画停電初日の十四日未明に公開されていた。その後に公開された「電力使用状況メーター」は、筆者も毎日チェックするのが習慣になったが、電力会社がリアル情報を発表しないせいもあって、アクセス数は一千万ページビュー／日を数えたという。これらを支えたのは、七十人規模の専属チームによる三交代二十四時間体制だった。

ちなみに、筆者が実際に利用したサイトを挙げるならば、三月末に開設された「ボランティア情報ホットライン」は、希望する者と必要とする者のマッチングがよく有益なものであった。そのほかの提供サービスも、基礎となる大量の一次データを集積・編集し、分かりやすく提供するという点で、ユーザー視点に立っていると感じられるものが多かった。とりわけ、初期の公的機関や企業の情報発信が極めて分かりづらく（東電の計画停電情報に代表されるように、意図的に理解を妨げていると思えるものさえ少なくなかった)、かつスピード感もないものが多かっただけに、ヤフーの災害対応・情報発信のありようが、そのぶん、より効果的に見えたのである。

一方、グーグルもほぼ同様のサイト構成で情報を発信し続けている。とりわけグーグルの消息情報「パーソンファインダー」は、災害の翌月には六十七万件を超え、今回の災害では日本最大の被災者安否情報データベースとなった。グーグルはこの消息情報以外にも、先に述べたように、避難所、通行可能道路(自動車通行実績情報マップ)、ペット(飼い主探し情報)、被災地企業などの分野別情報のアーカイブズを次々に立ち上げ、運営している。ただしグーグルの場合、放射線情報は一切扱っていない。

こうしたグーグルの動きは、過去の災害対応の蓄積によるものである(たとえば、「東日本大震災と情報、インターネット、Google」サイト参照 http://www.google.org/crisisresponse/kiroku311/chapter_01.html)。すでに以前から、「クライシス・レスポンス」(Google Crisis Response)として知られる自然災害対応の特設ページで、二〇〇五年の大型ハリケーン「カトリーヌ」以降、安否情報サービスなどを提供してきた実績があった。

今回は、地震発生一時間四十六分後にサイトが開設され、安否情報確認サービス「パーソンファインダー」が公開された。ここでのポイントは、米国本社と日本側の連携のもと、英語版ではなく日本語版で立ち上げたことであり、日本の携帯事情を勘案して、パソコンからだけではなく一般の携帯電話からのアクセスを、初期の段階から可能にしたことである(震災当日のうちに可能となり、これらの情報は逐次、グーグルの公式ブログで紹介されていった)。

なお、パーソンファインダーに登録された六十七万件の情報入手先は、主として三つに分かれ、ユーザーからの直接投稿が五割、避難所名簿からの転記が二割、そしてメディアなどからの提供情報が三割だといわれる。

その後、グーグルだけで三十以上の無料の震災関連サービスが提供されたが、その多くは社員の自発的なプロジェクトから生まれたものだという。その一つが放送との連携で、ユーチューブ（YouTube）を活用した同時再送信（ライブストリーミング）によるテレビ番組の生中継であった（一〇四頁参照）。いちばん早かったTBSとは、震災当日のうちに配信が開始された（TBS News-i）。ほかにも、地図情報を応用した避難所情報や被災地衛星写真の提供など、グーグルならではのサービスが特徴であった。

こうした得意分野の情報サービスのあとを追いかけるように、その後の約二週間、独自の情報以外（すなわちそれは、他企業・組織・団体との連携を意味する）を活用したサービス提供を進めた。生活情報をまとめた「被災地生活支援」などがそれである（ほかにヤフー同様、義援金の募集なども行なった）。さらに四月以降は、被災地域の店舗営業情報や企業の状況を伝える「ビジネスファインダー」など、そのウイングを広げていった（これは後に、「YouTubeビジネス支援チャンネル」と合併して「東日本ビジネス支援サイト」となる）。

このように、インターネットを経由した情報の集積と自由検索による高い効果が、顕著にみられた。NHK、朝日新聞、毎日新聞は、グーグルに消息情報を提供しており、この点では伝統メディアと新興メディアの連携が進んだ（そのほか、携帯電話事業者や警察庁の情報を統合していった。「避難所名簿共有サービス」は当初、避難所張り出しの名簿をカメラ撮影し、それをインターネット上のボランティアが書き起こすという人海戦術を取ったが、途中からは毎日新聞から情報提供を受けた）。

このような状況を受け、野村総研の調査(「震災に伴うメディア接触動向に関する調査」二〇一一年三月)によれば、ポータルやソーシャルへの信頼度が一〇%以上アップしている。二〇一〇年はソーシャルメディアの年といういわれ方をしたが、一部の先進的なユーザーや特定層のいわばクラスメディアだったものが、3・11を機に一気に広範な市民権を得たといえる。

こうした技術や規模とともに、まさに集合知の成果として情報の精度が高まり、これがサイトおよびそこに掲載される情報の信頼性に結びついている。すなわち、これまではプロのジャーナリストが取材・報道するということが信頼性の由来であり、専門家の情報を「知識」としてきたわけだが、素人で信憑性が低いとされてきた一般市民(ユーザー)の情報が多数集積され、その数の力と相互チェック機能、さらにはそれを支える大量のデータを分析・整理するコンピューターの力によって、大量の情報の寄せ集めによって形成される「集合知」が生まれたのである。

これは、多様な意見こそが正解を見つける鍵だという見方を補強し、ともすれば一様になりがちな既存メディアの報道を、批判するのに利用されたりもしている。今回の震災のように被害が広域かつ長期間にわたる場合は、プロの記者がその全域を継続的に取材することは、物理的に不可能である。しかもコンピューターの著しい発達によって、たとえば発信情報が転送なのかオリジナル情報なのかを判断しなければならなくなった。しかしこうした情報の輻輳《ふくそう》性(重なり)を排除するなど、膨大なデータの突き合わせによって情報の精度を高めることが、部分的には可能になりつつある。むしろこうした「集合知による情報発信」が、旧来の「報道」の役割にとってかわる状況が生まれているともいえる。

ソーシャルメディアの急速な浸透

以上の前提には、ソーシャルメディアの急速な市民権の獲得という状況がある。その始まり・定着・成熟の度合いを、簡単に確認しておきたい。

二〇一〇年は、日本でもソーシャルメディアが急速に浸透し、市民生活に定着した年である。この年、鳩山首相のツイッター開始に始まり、小沢一郎元民主党代表が既存の記者クラブ主催の会見を拒否する一方、節目ごとに「ニコ生会見」を開いたり、秋葉忠利広島市長が不出馬会見をユーチューブで行なうなど、政治家の情報発信ツールとして、SNSの積極的な活用が見られた（なお秋葉市長は、通常は記者と相対する普通の形態の会見を開くほか、行政情報の公開にも積極的な姿勢を示しており、辞任会見は例外的な措置である点で、小沢元代表の恒常的な対応とは違う）。

二〇一一年二月の大学入試で、試験時間内に「ヤフー知恵袋」を利用したケータイ・カンニングが起こった。同時期に海外では、ウィキリークス（WikiLeaks）による内部告発や、フェイスブックやツイッターを利用した、中東（エジプトやチュニジアなど）の「ソーシャルメディアによる革命」が起こった。まさにSNSが社会を動かした年であった。

この年、日本社会を大きく揺るがしたのは、「尖閣ビデオ流出事件」であった。二〇一〇年九月七日、沖縄県沖の尖閣列島付近で中国漁船と海上保安庁の巡視船が衝突し、中国人船長が逮捕・送検された（同月内に処分保留で釈放、翌年一月に不起訴処分）。十一月に、衝突時の動画が国会で限定公開されたが、同月四日、[sengoku38]のハンドルネームで、海上保安庁撮影の四十四分間の動画が、ユーチューブ上に流出した（一週間後の十日に、インターネットカフェから投稿したという海上保安官が出頭、その後退官し、翌年一月に起訴猶予処分となった）。この動画や一部静止画がテレビや新聞にそのまま転載され、大きな社会問題となった（一色正春『何かのために　sengoku38の告白』朝日新聞出版、二〇一一、参照）。

日本のインターネット事情を概観しておくならば、一九九七年にはインターネット利用者数（パソコン、携帯電話、ゲームなどのいずれかの利用者総数。総務省「通信利用動向調査」より）が、ようやく一千万人を超えたものの、人口普及率ではまだ一桁だったのが、その後十年を経て利用者数は八八〇〇万人、普及率は七三％まで上昇した（二〇一一年末で九六一〇万人、普及率は七九・一％。インターネット世帯普及率は〇七年に九割を超えた）。同時に二〇〇〇年代に入り、ADSLやその後の光回線の普及により高速大容量通信が実現、並行して料金の定額制が普及したことによって、一気に一般市民のインターネット利用が進んだ（高速常時接続の一般化）。

さらに日本の特徴として、携帯電話のほとんどの機種でインターネット接続が可能で、利用の有無とは関係なく購入時に接続サービスを契約するのが一般的であることが、ネット利用者数を引き上げている。たとえば二〇一二年現在、筆者の大学における学生の実態からしても、自宅・下宿で自分のPCをもつ者は半数に満たないが、多くの学生は情報端末としての「ケータイ」を使ってネット接続し、メールのやり取りや情報の取得を行なっている。とりわけスマートフォンの急速な普及により、ネット接続はより一般化している（大学生間では、就活の必須アイテムとしてスマホの携行が一般化している）。

インターネットサービスは現在、ポータル系とソーシャル系に大きく分けることができよう。前者の代表はグーグルやヤフーで、米国発（米国オリジン）メディアにいわば「占拠」されている感があるが、後者はフェイスブックやツイッターのような米国系だけでなく、日本企業のサイトも活発である。SNSとしてのミクシィ、動画投稿サイトのニコニコ動画ほか、電子商店街を運営する楽天、無料ゲームサイトや掲示板をもつモバゲータウン（DeNA）やグリー（GREE）、いまや老舗感さえある電子掲示板「2ちゃんねる」など、そのサービス形態は多彩で数も多い。

なお、日本ではヤフーがアクセス数一位を占める。人気コンテンツ（ページ）としては、ヤフーニュースのほか、ヤフーの最大の売り物であり特徴である「オークション」サイトがある。このほか、先に触れた「ヤフー知恵袋」はソーシャル系にカテゴライズされるなど、その分類は絶対的なものではない。また、ニフティやgoo（NTTレゾナント）など日本の企業も健闘している。ヤフーは、米国ヤフーと日本のソフトバンクの合弁で一九九六年に設立され、運営・営業は独立した日本法人が行なっている（ソフトバンクが筆頭株主）。

新しいメディアの定着には、通常二、三年あるいはそれ以上の時間がかかるものだが、ソーシャルメディア・ブームが急速に拡大するなか、東日本大震災を通じて一気に認知度が高まり、公的機関による活用も始まるなど、市民生活に定着してきている。実際、前述したグーグルの災害関連サービスにしても、自動車通行実績情報マップの場合は、ホンダや日産との連携によってはじめて実現可能となったものであり、これらもグーグルをはじめとするインターネットサービスの、すでに震災前に築いていた社会的ポジションを表わすものといえる。

これらの実績を基に、たとえばグーグルの場合、一年後の二〇一二年三月には、報道機関などとのパートナーシップ提携による「災害時ライフラインマップ」を発表している（「クライシス・レスポンス」サイトの中にある）。ちなみに、パートナーとして登録されている報道機関は、朝日新聞社、毎日新聞社、読売新聞社、日本経済新聞社、茨城新聞社、福島民報社、福島民友新聞社、河北新報社、岩手日日新聞社、岩手日報社、デーリー東北新聞社、東奥日報社、NHK、TBSテレビ（JNN系列各局）、テレビ朝日（テレビ朝日系列各局）の十五社（順不同）である。

なおここに挙げた多くは、今回の震災対応で連携しており、たとえば茨城新聞、福島民報、河北新報、岩手日新聞、岩手日報、デーリー東北、東奥日報の七社は、「ビジネスファインダー」での商店街情報の提供元であった。グーグルは、これらの記者に手持ちのデジカメなどで撮影した動画データの提供を依頼し、いわば新聞社の取材を基に、グーグルが情報発信するという、新しいメディア形態を実行した。

2　二つのメディアはどう連携したか

連携は自然にはじまった

3・11をめぐる新旧メディア間の特徴は、伝統メディアと新興メディアの幅広い連携が行なわれた点である。最も象徴的なのは、震災直後から実現した、NHKによるニコニコ動画やユーストリーム（Ustream）への配信である。これは、震災直後に、NHKのテレビ画面を一般ユーザーがそのままナマで動画投稿したのがきっかけで、それを後追いする形で同時再送信が始まった経緯がある（広島の中学二年生が午後三時過ぎ、NHKの放送をiPhoneのカメラで撮影し、それをユーストリームに流したのがきっかけで、震災当日の午後八時半にはユーストリーム公式チャンネルで、NHK自身によるテレビ番組のネット配信が開始された）。これまで日本では、法の規制や業界慣習もあって、同時再送信を原則として認めてこなかったにもかかわらず、インターネット上の動画投稿サービスを利用して、テレビ・ラジオ番組のネット同時再送信が行なわれたのである。

また、民放在京局も地元局も、動画配信サービスを利用した。たとえば、ＴＢＳはユーストリーム、ユーチューブ、ニコニコ生放送に番組を流した（最も早く公式ライブ配信を始めたＣＳニュース専門チャンネル「ニュースバード」は、震災当日の午後五時半すぎから約一週間、ユーストリームで同時生中継した）。フジテレビはユーストリームに、テレビ朝日もユーストリームに通常番組を流した（日本テレビとテレビ東京は実施せず）。また地元民放局では、ラジオ福島がユーストリームで番組の一部を送信している。こうして始まったユーストリーム配信は、震災当日に一二三万人が視聴したと発表されている（平時は二〇～二五万人）。

ニコニコ動画は、二〇〇六年からニワンゴが提供する日本国内の動画投稿サービスで、二〇一〇年現在で登録者数は一八九〇万人にのぼる（現在は海外でもサービスを実施し、角川グループと業務提携をしている）。このサービスは、ニコ動・ニコニコの名称で、投稿動画の上にリアルタイムで第三者がコメントをかぶせたり（コマンド機能）、検索キーワードを登録（タグ機能）できることが人気で、生放送（中継）や投稿ニュースなどのサービスもある（二〇一二年末の総選挙では、ニコニコ動画上での党首討論が実施された）。

なおニコニコ動画との連携では、放送局が流す番組の画面上に視聴者の書き込みを反映させるサービスが、事実上「解禁」された。これによって視聴者のコメントが、放送局のチェックなしにリアルタイムで番組の画面上で表示されるという（当然ながら当該番組への批判も流れる）、テレビとネットの関係における新しいステージを迎えることになった（ユーストリームでも視聴中の番組について、視聴者同士がコメントを交換することが可能であった。このユーザーコメントがＮＨＫの番組に取り入れられることが重なり、ネット上では一時、大きな話題となった）。

ただしこうした「連携」が、伝統メディア側の、時代に乗り遅れてはいけないといった、「前のめり」状況の結果であるとすると、双方のメディア特性を消しあう可能性があり、効果は生みづらいであろう。メディア本来の強みを生かすことで、相乗効果が期待できるのであるが、連携すること自体が目的化すると、伝統メディアは、ネット中の数あるコンテンツ提供者の一つになってしまう可能性がある（単純な提供だけでも、それ自体意味のあることではあるが）。

伝統メディアと新興メディアの連携については、実際は以前からさまざまな取り組みがなされており、さらに過去に遡るならば、インターネット上のオンラインサービスへの業務展開も、社によっては積極的に行なわれてきた。そうしたなかで震災を機に、たとえばNHK科学文化部のツイッターや、河北新報のSNS活用が注目を集めた（『新聞研究』二〇一一年九月号、参照）。NHKがネット上にオリジナル情報を発信することは、民業圧迫などの理由により放送法上禁止されているが、SNSの利用はその間隙を縫うという側面もあるように見受けられる。

NHK科学文化部の発信は広くかつ頻度も多く、とりわけ放射線情報に関しては評判が高く、多くのフォロワーを有する人気の「つぶやき」だ。一方で河北新報のSNSは、スーパーローカルをめざすという担当者の言葉に代表されるように、新聞本紙のカバーする情報が全体状況（マクロ）であるのに対し、より細かい地域の生活情報（ミクロ）を発信し、被災地のユーザーの期待に応えた。

インターネット上で通常のラジオ番組が聴ける「ラジコ」（radiko.jp）や、同様にケータイからラジオ番組が流れる「LISMO WAVE」（au）も、聴取エリアの拡大や制限の解除（非契約者も利用可とする）などをして貢献した（いずれも一カ月をめどに通常の聴取エリアに戻している）。どちらも、ネット同時再送信、県域外送信を行ない、通信・放送の融合が実現した。

ラジコは、地上波ラジオ放送を、そのまま同時に放送エリアに準じた地域にインターネット・ストリーミング配信するサイマルキャストサービスで、通常のパソコンやスマートフォンなどでラジオ番組が聴取できる。これは、独自コンテンツ、エリア制限なしという通常のインターネット・ラジオサービスとは異なる。二〇一〇年三月から実験配信を行なってきたが、同年十二月には株式会社化し、実施局も関東地区から関西、関東・関西周辺、中京、北海道、福岡地区へと順次拡大している（http://radiko.jp/）。

震災発生後、ラジコは「復興支援プロジェクト」として、「風評被害からの回避の一助となるよう、地域密着度の高いラジオ情報を通して、被災地区の現状を日本全国へ正確に届けること、かつ、ふるさとから避難されている方々に、ふるさとの様子を伝えることを目的とし、主な被災地区（岩手県、宮城県、福島県、茨城県）のラジオ七局（アイビーシー岩手放送、東北放送、ラジオ福島、茨城放送、エフエム岩手、エフエム仙台、エフエム福島）の放送を、『radiko.jp』のシステムを活用して、日本全国に配信」（ラジコ公式サイト）するとしている。

たとえば、神奈川では通常、ＴＢＳラジオ、文化放送、ニッポン放送、ラジオNIKKEI、Inter FM、TOKYO FM、J-WAVE、ラジオ日本、bayfm78、NACK5、ＦＭヨコハマが聴取可能である。これに対しラジコの場合、三月十三日午後五時から三月末まで、関東七局・関西六局・中京七局（追加）のエリア制限を解除し、全国どこでも関東圏のラジオ番組が聴ける状況が生まれた（関東は四月十一日まで）。法律と慣習によって実行されなかったことが、震災により堰を切ったように行なわれたのだ。

また、ローカル局で放映された番組の一部がネットを通じて広がり、テレビや新聞といった伝統メディアで取り上げられて社会的話題になるという、異種メディア間の往復により情報が広がった例も少なくない。たとえば東北放送・武田記者の津波リポートは、ユーチューブ上の人気を集めた（津波が来ることを想定し、近くの人に避難を呼びかけながら、その様子を携帯型のビデオカメラで撮影した様子がそのまま番組で流され、それがネット上で拡散した）。

ここで注意が必要なのは、「その後」の対応も含め、NHKと民放ではネット配信への「思い」が違うのではないか、という点である。いわば「トロイの木馬」（NHKの業務拡大）と「パンドラの箱」（LISMOやラジコの全国配信）の違いである。NHKも民放も、震災直後のネット配信は自然発生的であり、早い段階から「公式」に連携を進めるようになったものの、その背景は異なるように見て取れる。NHKは、ネットへの戦略的な業務拡大のために、このたびの「例外的」配信を活用したように見えるが、民放はあくまでも、「想定外」としての偶然の産物だったと思われる。

今回はからずも、「放送」を地域（県域）に押しとどめることなく、簡単に全国あるいは世界に同時再送信できるインフラがそろっていることが、一般視聴者にもわかった。逆にそうした中で、先に述べたように県域内放送のローカルメディアをどう維持していくのかが、問われているのである。

このように、文字通りの通信・放送の融合に加え、伝統メディアと新興メディアの間で安否情報の提供と相互乗り入れが一気に進んだことが、もう一つの特徴だといえる。先にも紹介した通り、NHK、朝日新聞、毎日新聞の順番でグーグルへの安否情報の提供が行なわれ、独自に安否情報を収集し発信していた共同通信社のサイトにも、グーグルの大きなリンクが表示された。ほかの新聞社やテレビ局でも同様の傾向にある。パーソンファインダーの立ち上がりが非常に早く、情報が集約されたこともあり、在京メディアにおいて、結果として安否情報についてはグーグル頼みとなった。

また、生活情報やサポート情報は、早い段階から多くの新聞やテレビ・ラジオで掲載や放送が始まり、さらにそれが各社のウエブサイトやツイッターで発信されたのも、今回の特徴だ。先に挙げたNHKや河北新報の例のように、オリジナル情報を積極的にSNSで発信したメディアも存在する。ただし、すでに河北新報自身が明らかにしているように、新興メディアとの連携は、当初から予定されていたというよりは、本社のウエブサイトがダウンしたときにSNSやツイッターがつながったので、まずはそれらを活用したという側面も否定できず、始まりはある種の偶然のようだ。

またその前提として、すでに各社でツイッターの活用など日常的な下地があったことはまちがいない。その後のウエブサイトの展開を見るとき、とりわけ河北新報サイト「コルネット（KOLnet）」（www.kahoku.co.jp）の充実ぶりは、目を見張るものがある。新聞掲載の大型連載がサイト上にアーカイブされているほか、市民からの投稿を集める震災アーカイブ事業も進行中だ。震災時にも活躍したSNSは、フェイスブックとツイッターでニュースを頻繁に更新している。いまでも震災関連ニュースを知るには重宝なもので、東京在住者にとってはケータイから流れてくる河北新報のつぶやきで、はじめて知る被災地のニュースも少なくない。その意味で、期せずして全国（全世界）発信ツールとなっている。

また従来から一部の新聞社では、電子紙面（pdf. 画像データ）のネット掲載・配信が行なわれていたが（たとえば産経新聞）、今回はおおよそ一カ月間の紙面を中心に、いくつかの社で電子配信が行なわれた（日経新聞は記事配信を一時無料化した）。二〇一二年春現在も、継続中のところが多い（たとえば河北新報、毎日新聞＝希望新聞、読売新聞＝生活情報、朝日新聞＝号外紙面など）。こうした過去の紙面のアーカイブ化は、従来であれば紙の印刷刊行物に限定されていたが、今回は多くの社でデジタルアーカイブ化が進んだのも、大きな特徴の一つといえる（なお、出版物としても臨時のカラー縮刷版や写真集・記録集などが数多く刊行された）。

使われ方と受け手の評価

多くの避難所では、行政からの援助物資の送達が滞り、相当期間モノがない状態が続いたが、その間大きな力を発揮したのが、ネットを通じての情報交換であった。しかもその対応は素早く、民間ボランティア組織などの協力の下、場合によっては翌日にはピンポイントで一個単位の必要物資が届けられ、避難所生活を支えるのに役立ったという。その一つである「踏ん張ろう東日本プロジェクト」は、現地から不足物資リストをネットに上げると、それに呼応して全国から一般市民が個人単位でその要望に応えた物資を宅配依頼し、翌日には避難所（現在では仮設住宅）に物資が届くという形ができあがった。筆者もその活動に立ち会ったが、地方自治体の支援では行き届かない避難者支援の成功例であろう（この活動については、『人を助けるすごい仕組み』ダイヤモンド社、二〇一二、参照）。

あるいはまた、節電キャンペーンは伝統メディアでも行なわれたが、同時もしくはそれより早い段階で、「ヤシマ作戦」（節電）、「ウエシマ作戦」（譲り合い）、「ナガシマ作戦」（外遊び）などが、ネットのなかで広がった。これらはいずれも、アニメやタレントの行動に引っかけて名づけられたもので、ゲームなどで屋内で過ごすのではなく、外で遊ぶことで電気使用量を節約しようといった呼びかけがなされたわけだ。こうしたネット上の〈共感〉キャンペーンが、実際の節電にどこまで影響力があったかは検証されていないが、新聞紙上での節電キャンペーンよりも、むしろ大きな浸透力を持ったとの声も強い。この点で、伝統と新興のメディアの連携があれば、より大きな効果を社会にもたらすことができるかもしれないが、それは一方で、一面的な社会的「空気」の醸成にもつながる危険性がある。

そのほか、公共機関のなかには被災地の各県庁や自衛隊のように、ツイッターで直接発信するところがある。こうした新興メディアの活用は、震災を契機に一気に広がっている。ただし政治家や行政の直接的な発信は、場合によっては第三者のチェックを経ることなく、公権力による一方的な大量情報の直接発信となるだけに、「プロパガンダ」の危険性も否定できず、そのあり方については引き続き注意と検証が必要である。

その意味では、グーグルのパーソンファインダーに集められた六〇万件を超える個人情報が、個人名で居住者や家族構成など、様々な情報と結び付けられていくとしたらどうなるだろうか。規模が大きいほど便利かつ効率的であることはまちがいないが、一方で漏洩した場合の被害の大きさや、何らかのビジネスに利用される可能性も考えておく必要がある。ちなみに、グーグルはその後のプライバシーポリシーの変更で、収集した個人情報は、広くグーグル提供のサービスに共通して「活用」することを謳っている。

個人情報の収集の問題としては、そもそも大量の個人情報が一企業に集約されること自体、大きな危険性がある。さらにその情報が、企業内とはいえ自由に利用されることの是非もあるだろう。少なくとも提供者は一般に、一私企業のサービスに活用されることを想定してはいないだろう。平時における一般企業の個人情報に関する取り扱いルールが、今回のパーソンファインダーで収集された情報にそのまま適用できるとは言い切れないが、インターネット上の膨大な個人情報を扱う事業者に特有の、普遍的一般的な課題を含んでいることはまちがいない（デジタル化された情報の集積・流通に関する問題に関しては、拙稿「デジタル時代における作家の書く自由と読者の読む自由――デジタルアーカイブ構想から考える」『自由と正義』二〇一一年七月号、参照）。

今までは行政機関のほか、新聞社や放送局が個人情報を集めてきたわけだが、今回のグーグルの収集もそれと同じということになれば、通常の企業としての個人情報取り扱いルールの適用と同時に、収集情報は報道目的以外には使用しないといった報道倫理も勘案して、グーグルについては単なるIT企業ではなく、報道機関（メディア）としての社会的責任を考える必要がある（同様のことは、ヤフーなどの他のプラットフォーム事業者にも当てはまる）。

あるいはまた、パーソンファインダーのサービスが二〇一一年十月で終了したことにも、割り切れなさを感じる人が少なくないだろう。まだ行方不明者も多く、多くの人が避難生活をしている最中で、消息情報の重要性は減じていないからである。一方で、個人情報を長期に「公開」し続けることの問題点も考慮されたといわれており、しかも最新情報ではなくなりつつあることから、個人情報の管理原則からすれば、好ましくない状態であることには違いない。

確かにそのバランスは難しいにせよ、やはり事実上、日本で唯一の犠牲者・消息情報データベースであるという「公共的」意味合いからすれば、いったんはじめて、しかもその社会的役割を自身も認識していたのならば、何らかの形で「見られる」措置を講じ続ける社会的責任もあるであろう。こうしたことが、議論なく企業論理で決定されることの「違和感」こそが、まさに課題であると思われる。

3　新興メディアの新たな課題

検証なき報道

ＳＮＳの社会的な影響力が増大するにつれ、ＳＮＳの運営主体であるＩＴ企業には、社会的責任が発生することへの自覚が必要になってきている。ＳＮＳスタッフが記者会見に参加したり、政治家会見の生放送を実施することで、情報を流すことや流れる情報に一定の判断が必要な状況（それは場合によっては自己規制と呼びうる）が生まれつつある。ネットのよさはその無秩序性や自由さであり、以前は何を流しても原則的に自由であり、情報交換の場であるプラットフォームを提供するに過ぎない運営体であるＩＴ企業は、そこに何が流れていても関知しなくてよかったのが、既存メディア並みの社会的「配慮」が求められる時代がやってきたということである。

たとえばニコニコ動画は、政治家の出演が一般化しているが、影響力が大きくなるがゆえの矛盾をかかえざるをえないだろう。すなわち、これまでは政治的公平さや発言内容の過激さなど、何も気にしなくてもよかったわけで、その自由さが、がんじがらめの伝統メディアとの際立った違いであり売りでもあった。あるいは記者会見への参加について、従来は一方的に既存メディアを批判する立場であったものが、いまや一般ユーザーの目からその立ち居振る舞いが検証される側になった。したがって、自由な表現行為には必ず責任が伴うのであるから、他者への誹謗中傷などを自制するといった、いわばユーザーリテラシーを上げることなど、発信メディアとしての責任を果たすことが今後は必要になってくる。

放送界は、視聴者サポートのための対応として、BPO（放送番組・倫理向上機構）などの組織をもっているが、ソーシャルメディアにおいても、そうした機能が必要になるのではないか。これは、勝手に利用してもらう立場から、使われ方を導く立場への転換であるともいえる。それはまた、相手に透明性を確保せよと訴える立場から、自身の透明性が問われる立場に立つことでもある。

既存マスメディアを通さない直接発信が広く実現し、その発信されたオリジナルのネット情報をもとに、新聞・テレビ報道がなされることが一般化しつつある。あるいは、今回の震災時における東電・保安院の合同会見でもあったように、インターネットメディアが会見をカットなしで生中継する時代が始まっている。それは、従来の会見が特別な地位の人に限定され、一部のマスメディアにその情報の所有が限定された時代との大きな違いである。

いまや、記者会見を広く一般市民が共有する時代がやってきたのである。同時に、その会見内容をいかに理解するか、という新しい課題を突きつけられることになる。たとえば、前出の東電会見は夜遅く延々と三時間以上続くことも珍しくなかった。私たちは、そうした臨場感溢れるオンタイムで見られる幸せとともに、見続けなければならない苦痛を味わうことにもなる。しかもその情報は、誰が解説してくれるわけもなく、いわば「ダダ漏れ」会見と称されるような情報発信の結果を生んでいる。

このような、検証なしのダダ漏れ報道の拡大が指摘される中で、SNSは、プラットフォームとしての場の提供にとどまらない、責任ある立場に変わってきているのであろう。もちろんこれに対しては、一切の論評を加えない、無色透明の「伝達」を行なうプラットフォーム・メディアとしての価値を重視する考え方もある。しかし一方、こうした生《なま》の言葉が飛び交う状況で、論理より感情に訴えたり、本質以外の偶然目についた事柄で、議論が左右される事態が生じるという面も否定できない。

こうした「ダダ漏れ」会見は、ネットで同時中継される記者会見の様子を指す言葉として、いまや定着しつつあり、民主党政権誕生以降、ニコニコ動画、ユーストリームなどを通じ、外務省や総務省など官公庁の主要な記者会見の生中継が、広く実現する状況が生まれている。先に挙げたとおり、原発事故後の東電・政府会見も、こうした流れの中で当初は生中継されていた（二〇一一年十一月段階では限定的に縮小されている）。そしてまた、こうしたネット上での情報を、既存の伝統メディアが新たに流すことで情報の拡散が起きるといった、新しい状況も生まれている。尖閣列島付近での中国漁船衝突ビデオのユーチューブ流出情報を、テレビ各社がほぼそのまま放映したのも、「ダダ漏れ」報道の一つということもできよう。

生中継あるいは恣意性をさしはさまない報道、さらには市民参加の記者会見など、ネットメディアの新しい取材・報道手法は、現時点ではネットの世界のみならず、従来のマスメディア報道に飽き足らなかった層にも、好意的に受け入れられている。しかし、ネット情報をベースに新聞・テレビ報道がなされることが増えて、既存メディア（とりわけテレビ）とネットメディア間で情報の「使い回し」が生じ始めていることは、いわばゲートキーパーなしでの無責任な情報の拡大再生産を生みかねない。

あるいは、もう一つのネットの問題は、無責任な情報に多数の第三者が踊らされる可能性があるということだ。最近は、この問題が取り上げられることが多いが、今はまだ伝統メディアに慣れ親しんだ層が、「新しいメディア」の前で右往左往しているものの、メディアとの付き合い方を知っている若い層を中心に、いずれ相応の対処法が確立されるだろう。

そう思う理由は三つある。一つには、ネット世代（とりわけケータイ世代）は、ネット情報の不確かさに対し、本能的な感知能力が備わっているし、そもそも伝わってくるニュースは真実を伝えるものではなく、数ある「情報」の一つとして受け取っている者が大多数とみられる。二番目には、技術的にツイッターや交流サイトの書き込みを分析する手法が開発され活用されつつある。SNS上での評判（口コミ）が、どのように波及していくかを分析・提供するサービスは、その一つである。

そして三つめに、ネット上の誤情報は、ネット上で訂正される「習慣」が形成されつつある。今回の震災時にもいくつかのデマが流れたが、これらについては、いわば自浄作用が発揮された（荻上チキ『検証　東日本大震災の流言・デマ』光文社新書、二〇一一、が参考になる）。なお震災時に流れたデマの内容は、たとえば東京と石巻では異なることが報告されている。東京では火災に伴う危険情報が流されたが、デマ情報がネット上で流れると、時間をおくことなく、おかしい、ありえない、という情報も流れて、デマは否定され訂正された。

一方、石巻では、まさに関東大震災のときと同様の「朝鮮人・中国人によるレイプや窃盗」といった流言蜚語が伝聞で流れたという。また被災地では、窃盗などの犯罪行為が多数発生したが、多くのメディアはそうした事実の報道を控えたせいもあり、事実に反する噂が現地でしばらくの間くすぶる要因ともなった。これらは、情報過疎の中での市民の不安の裏返しであり、同様の状況が戦争中にも発生したことが明らかになっている（たとえば南博「流言蜚語にあらわれた民衆の抵抗意識」『文学』一九六二年四月号、参照。ドナルド・キーン『日本人の戦争——作家の日記を読む』文藝春秋社、二〇〇九、にも同様の記述がある）。

プラットフォームかメディアか

ネットのインフラ特性をどう考えるか、という問題もある。新興メディアはプラットフォームなのかメディアなのか、という問いである。すなわちSNSやポータルサイトといったネットメディアは、情報という商品を棚に並べて見せる「プラットフォーム」なのか、情報を収集・加工して発表する「メディア」なのか。この根本的な問題もまた、震災を機に改めて問われている。

いま、いくつかのネットサービスは、単なる情報の媒介者でなく、自分たちで情報を取捨選択し、価値づけをして流すメディアになっており、プラットフォーム企業からメディア企業に足を踏み入れようとしている。少なくとも、マイクロソフト、ヤフー、ニコニコ動画は、自らニュースを収集・加工もしくは価値判断し、配信しているのであって、外部から見れば、明らかにメディアとして行動しているように見える。あるいは、グーグルのような検索サイトであっても、その検索アルゴリズムに恣意性はないというものの、一定の「意図」を含むプログラムの結果であって、単なる情報仲介者でないことは明らかである。それは、サイトの利用を通じて収集された個人情報に基づき広告配信しているのを見ても、いえることである。

そしてメディア企業になれば、それに応じた制約と社会的責任が生じ、収集情報のアーカイブ化をどうするのかという問題も起きてくる。たとえば、個人情報が一企業に集約されることは、本当に問題のないことなのだろうか。あるいは、もし自分たちの責任で情報を取捨選択、価値付けをして流すメディア企業になれば、当然その内容には規制がかかってくる。たとえば新聞社提供のニュースに関して、情報提供元の新聞社だけでなく、掲載（配信）するプロバイダ事業者にも責任を負わせる考え方が示されつつある。産経新聞提供の記事・写真を掲載したウエブサイト「YAHOO! JAPAN」のヤフーニュースに対する名誉毀損訴訟では、産経新聞とともにヤフーにも、共同で名誉毀損の損害賠償責任を認めた（二〇一一年六月十五日東京地裁判決、拙稿「ニュース配信サイトの責任」『月刊民放』二〇一一年八月号、参照)。

すでに以前から、プロバイダ責任制限法(特定電気通信役務提供者の損害賠償責任の制限及び発信者情報の開示に関する法律)と呼ばれる法制度によって、インターネット・サービス・プロバイダ(ISP)や電子掲示板の主宰者などの「プロバイダ事業者」が、一定の範囲で伝達内容について責任を負う仕組みが導入されている。しかしこうした限定的あるいは間接的な責任ではなく、「表現者」としての責任を負わせることが、より新しい考え方として示されつつあるのだ。

ネット上の表現活動の自由を最大限に保障しつつ、そこでビジネスを展開するプラットフォーム事業者の、表現者としての「責任」を一定程度果たさせるための制度上の整備は、難しいバランスのとり方を伴うが、解決しなくてはいけないテーマである。それは、ネットメディアの特性である「インタラクティブ」(双方向性)であるがゆえに、「空気」の醸成に加担する危険が考えられるからである。あるいは、誰でも容易に発信や受信ができるといった「プリミティブ」(原始的)であることが、公的な情報規制の容易さと隣り合わせであるからだ。

ポータルサイトやSNSのプラットフォーム機能は今後も変わらず維持されると思われる一方で、そうした機能はマスメディアにも存在するわけで、双方の相互乗り入れによって、ボーダレス化が進行していくであろう。この両者の壁が低くなるボーダレス状況は、フルデジタル時代にあって、伝統メディアの情報も新興メディアの情報も、すべてがネット上では「フラット」である(同じ価値のように見える)ことで、より進行し拡大しているといえる。

あるいはまた、ネット上のデジタル情報のアーカイブ化については、先に挙げた個人情報の取り扱い以外にも、「記録」という点で、プラットフォーム事業者がどのような社会的役割を果たすかという問題がある。被災に関する一般市民の記録情報が今回ほど多い災害はこれまでになく、非常に多くの動画や写真や音声が残っている。これらをどのようにきちんと記録し、保存して後世に伝えていくのか、ということを社会全体で考える必要がある。

すでにヤフーは、「3.11から〜2012〜」を立ち上げ、関連映像・写真を集めている。その結果は、「1000年後の未来に伝えたい3・11の記録　デジタルアーカイブ」（http://shinsai.yahoo.co.jp/311/archive/）として、ネット上で自由に閲覧できる。収集されたデータはユーザーからの投稿であり、「写真・映像で振り返る　3・11タイムライン」と、「あなたの3・11の体験を伝える」の二つから構成されている。同サイトの説明によると、「いただいた記録の一部は、日英2言語で本サイトに掲載させていただくとともに、311まるごとアーカイブス、ハーバード大学にて保存し、今後の防災研究などに役立てていきます」という。

またグーグルも、「未来へのキオク」サイトで、積極的に写真・映像データを収集している。その投稿数は二〇一二年九月段階で五万四千件を超える（一件あたり複数のデータが含まれるのが一般的である）。こうしたアーカイブ事業のあり方は、いまやネット企業なしには成立しえないが、同時にアーカイブ化のために多額の国家予算が、これらのプロジェクトに流れている現実がある。それは当然ながら、一私企業としての慈善事業でもなければ、企業論理での勝手な立ち居振る舞いが許されるものでもないことを意味している。

こうした事業を進めていくには、行政と企業と市民という三つの立場から考えていく必要がある。その一つとして注目されるのが、宮城県仙台市にある「せんだいメディアテーク」の「3がつ11にちをわすれないためにセンター」で、すでに多くの県内外の市民やジャーナリストの協力のもと、資料の整理・保存作業が進行中である。主に映像が対象で（http://recorder311.smt.jp/）、市民や専門家が協働し、復興の過程を記録保存するものである。

それ以外にも、二〇一二年春現在で明らかになっている主なプロジェクトとして、以下に主要なアーカイブ事業を揚げる。

○東日本大震災アーカイブ構築プロジェクト（国立国会図書館・総務省）
東日本大震災アーカイブに関するデータを一元的に検索・活用できるポータルサイト
http://www.ndl.go.jp/jp/311earthquake/disaster_archives/index.html

○みちのく震録伝東北大学アーカイブプロジェクト（東北大学災害科学国際研究所）
http://shinrokuden.irides.tohoku.ac.jp/

○３１１まるごとアーカイブス（防災科学技術研究所）
http://311archives.jp/

○２０１１年東日本大震災デジタルアーカイブ（ハーバード大学エドウィン・O・ライシャワー日本研究所）
http://www.jdarchive.org/

○東日本大震災ウエブアーカイブ（国立国会図書館）
国立国会図書館インターネット資料収集保存事業
http://warp.ndl.go.jp/WARP_disaster.html

そのほか報道機関が主体になっているもの

○ＮＨＫ「東日本大震災アーカイブズ　証言Webドキュメント」
http://www9.nhk.or.jp/311shogen/link/

○ＮＨＫ「東日本大震災音声アーカイブズ」
http://www.nhk.or.jp/voice311/index.html

○河北新報社「３・11大震災　将来への記憶」
http://jyoho.kahoku.co.jp/imagedb/cgi-bin/user_shinsai_search.cgi

○朝日新聞社「東日本大震災アーカイブ」
http://digital.asahi.com/special/quake2011_archive.html?ref=com_shinsai

第４章　ジャーナリズムを検証する

1　立場が問われる

各紙の基本的な立場

震災後のジャーナリズムを検証するにあたり、素材として伝統メディアの一つ、「新聞」の一カ月を取り上げたい。これによってメディアがこの間、伝えたもの伝えていないものの傾向が、多少なりともわかるのではないかと思う。対象としては、在京紙の朝日新聞、毎日新聞、読売新聞、産経新聞、東京新聞、日経新聞の六紙、被災地の地元紙である東奥日報、デーリー東北、岩手日報、岩手日日新聞、河北新報、福島民報、福島民友、いわき民報の八紙を、いずれも二〇一一年三月十二日朝刊（もしくは夕刊）から一カ月間、比較検討してみた。

調査方法としては、各紙の1面の記事項目を調べた。具体的には、「トップ」「2番手（一般には左肩）」「3番手」が、どの分野の記事かを調べることで、各新聞の力点の置き方を知ることができる。

さらに、その他の特徴的な記事をピックアップして調べることで、各紙の紙面構成の特徴を知ることができた。

その結果、如実にわかるのは、重点の置き方の違いである。すなわち、在京紙は東京からのものの見方を示しているのに対し、地元紙は常に被災者を念頭に置いた紙面作りをしている。これは、現場からの距離が遠くなればなるほど、被災報道が減少するということでもある。もちろんこの仮の結論は、あくまで各紙の1面の構成からうかがえる意識の差であることを、予めお断りしておく（震災後一カ月の十四紙の紙面比較結果については、日本記者クラブ・ウエブサイト www.jnpc.or.jp の会見動画クリップ四月二十八日分で配信）。

在京紙と、地元紙を比較してみると、震災後一カ月の紙面のうち、在京紙が三分の一から五分の一程度の頻度で、1面トップに被災地ニュースを扱うのに対し、河北新報や岩手日報、岩手日日などはほとんど連日、トップニュースであった。また、福島の二紙、福島民報・福島民友が、原発事故や放射能関連をトップ記事として扱うのは、別の意味での被災地ニュースであろう。石巻日日新聞をはじめとする地域紙は、そうした県紙よりもさらにもう一歩読者に近づくことで、紙の新聞の存在意義を確認したといえる。

また、在京紙の中でも力点の置き方に顕著な差がみられた。毎日新聞は、被災者ニュースをトップで扱う回数が、他紙の二倍もしくはそれ以上ある一方、読売新聞は、政権に絡めた記事作りが多いのが特徴であり、朝日新聞は、放射能・原発に関する記事が目立った。あえていえば、「毎日＝社会、読売＝政治、朝日＝科学」と色分けすることができるかもしれない。たとえば読売は、震災一カ月後の四月十一日付紙面で、震災にからめ統一地方選を統括する政治部長の署名入りコラムを掲載している。

なお、読売・朝日の両紙は原発事故検証に関して、多くの科学的専門記事を掲載したが、これが「一般の読者」にどこまで理解可能であったかは、判断が分かれるのではないか。その点で、分かりやすい紙面作りをしていた代表は、産経新聞と東京新聞の二紙であろう。ただしその紙面傾向は両極端だった。あえて言えば、産経はテレビなどに現われた社会の「空気」をストレートに見出しにしたような〈すっきり派〉で、東京はそうしたテレビなどの報道に疑問を持つ人の「不安感」をうまく受け止めた〈なっとく派〉の紙面作りであった。

たとえば、放射能拡散に関する心配は、当時の（もちろんいまも）大きな関心事で、東京では飲料水の買占めなどが起きたが、これに対する両紙の基調は、産経が、過度な心配は不要で落ち着いて行動することを呼びかけ、花粉症と同じ対応を求めるものであった。あるいは三月三十一日付紙面では「不屈の日の丸」と、泥にまみれた国旗を大きく掲載したり、「被災地から生命の息吹」（十五日付）、「東電のばか野郎が」（十八日付）といった感情に訴える見出しが並ぶ。

これに対し東京は、たとえば三月十四日の紙面で、原発会見が専門用語ばかりで分からないと苦言を呈し、いったい安全なのか危険なのかがはっきりしないことを、率直に記事にしている。さらに十八日の紙面では、経済産業省と電力会社の癒着の構図を厳しく問い、原発推進と規制が同根の行政組織であることのおかしさを突いている。

この点とも関係して、自衛隊や米軍の献身的な活動をどう評価するかも、紙面に差が出た。読売は被災地活動の随所で直接間接に自衛隊を写真を交えて紹介、産経の三月二十七日付朝刊は１面トップで「トモダチ作戦」を賛美するなど、要所で米軍の活動を紹介した。この二紙は、他紙との比較で相対的に自衛隊・米軍活動を積極的に評価したグループといえる。また、どの新聞も政権の対応の鈍さを厳しく批判するが、とりわけ読売・産経両紙は政治主導の失敗や無策ぶりについて、厳しい批判が目立った。

また東京新聞は、この時はまだ「反原発」の方針を明らかにしていないが、当初より原発・放射能に報道の重点を置いていたことは明らかだ。しかもその内容も、官情報以外の民間情報や当時の少数意見を他紙に先駆けて積極的に紹介、まだ事実関係ははっきりしないものの一般論として政府発表には疑問があり、実際はより深刻な状況の可能性があることを示唆する紙面作りであった。

そのほかで特筆すべきは、読売の早い立ち上がり、すなわち組織力である。具体的には、翌十二日の紙面からラテ欄を中面に移動し、生活情報欄を開設し、さらに翌々日は日曜で夕刊がなかったが、特別夕刊を発行し、戸別配達も実施した（朝日も特別夕刊を発行し宅配、毎日も号外を発行した）。また朝日・毎日両紙のインターネット上のニュース配信との連携は、早くスムーズだった。これらはまさに、両紙の日ごろのネット対応の熱心さが、そのまま出たものといえよう。

ちなみに、原発事故の初期段階で、新聞やテレビは「意図的」に重大事故であることを隠したのではないか、真実を伝えなかったのではないかとの強い批判がある。この点について、新聞紙面から報道ぶりを確認しておこう。およそどの新聞も、十二日もしくは十三日の段階で炉心溶融の可能性を伝えている。ここではあえて、原発に対して肯定的な紙面方針を持つ読売を例に見てみよう。

同紙十二日の朝刊1面では、通常は見落とす程度の小さな記事で「福島第一原発　緊急事態を宣言」と伝えるにとどまっている。しかし、十二日付号外で「原発　強い放射能漏れ／福島第一　炉心溶融か　爆発」と報じ、翌十三日付朝刊でも1面トップで「福島原発で爆発／炉心溶融の恐れ」と報じる。ただし同じ紙面で、「被曝対策十分に」と題し、「衣服は戸外で脱ぐ、鼻・口にぬれタオル　ドアと窓は閉めて」と、それ自体はまちがっていないものの、深刻さの度合いが一般読者に通じる紙面づくりだったかどうかは、結果として微妙である。

同紙の十四日の朝刊では計画停電がトップニュースとなり、中面では「放射線の政府指針」を伝えてはいるものの、その扱いは小さく、専門家コメントも「原発から半径一〇キロメートル以内の避難が行なわれていれば、健康被害は心配ない」というものである。しかしこの日、第一原発で二度目の大きな爆発がおき（三号機の水素爆発）、十四日付夕刊で「原発3号機で爆発」、翌十五日朝刊でも「3号機で水素爆発」とトップニュースで扱い、同じグループの日本テレビの系列局である福島中央テレビがキャッチした、第一原発爆発の瞬間映像を掲載した。ただし同時に、「東電『格納容器は健全』」を見出しにするほか、紙面全体としては、東京の計画停電に大きなスペースを割くほか、「『原発』『停電』政権無策」と、政府の指導力不足を追及する紙面づくりが目立つ。

十五日付社説によってこの時点での認識を推し量ると、「爆発後に大量の放射能が放出されたことを示すデータもない。微量の放射能は観測されているが、仮に被曝したとしても、病院のエックス線撮影の被曝量とほぼ変わらない」とし、「指示通り、圏外に避難していれば、当面は放射能による健康への影響はない」として、「冷静な対処」を呼びかけている。

紙面が大きく転換するのは、十五日付夕刊からの二日間だ。十五日付夕刊で「高濃度放射能が拡散／原子炉格納容器が損傷」と1面トップで伝えるとともに、この日は夕刊のほかに号外を発行、さらに「特別版」を発行して「燃料棒　全て露出」と、重大事態に陥ったことを伝えている。それは翌十六日付朝刊にも続き、「超高濃度の放射能観測／福島第一原発『身体に影響の数値』」の1面見出しに続き、中面では全ページを使って「『最悪の事態』想定し対策を」との長文の専門家談話を掲載した。

ただしその後は、冷却に向けての放水作業が連日、大きく報じられている。また十七日付朝刊では、福島第一原発六基の現状として図表を使い、メルトダウンはなし、格納容器損傷が一基、燃料棒露出・損傷が三基との分析結果を掲載した。そして「放射線　過剰反応避けて」といった冷静対処の呼びかけに戻っていく。

もう一紙、朝日の紙面展開を見てみる（たとえば、科学担当編集委員は『ジャーナリズム』二〇一二年九月号で、安心・安全に関して正しい方向の報道ができたと自己評価する）。まず十二日付朝刊1面で、小さくはあるものの、「福島原発、冷却不能か」と、具体的にその危険性を報じている。そして夕刊で「福島原発、放射能放出」、翌十三日付朝刊で「福島原発で爆発／第一　1号機　炉心溶融、建屋損傷」と1面トップで伝え、同日の特別版（夕刊相当、日曜にあたったので通常は夕刊発行がない）でも「3号機も冷却不全」と緊急事態を伝え、中面でも「被曝の不安　刻々拡散」と見出しを大きくとる。

十四日付夕刊では「3号機も水素爆発／福島原発　建屋損壊」、翌十五日付朝刊でも1面トップで「高濃度放射能　放出／2号機　炉心溶融」と続く。確かに同時に、「官房長官『容器は健全』」（十四日）を見出しにはしているものの、一方で「放射能　高まる緊張」（十五日）と、ただならぬ事態であることを伝えている。さらに、十五日付夕刊では「福島第一　制御困難　放射能大量飛散の恐れ」として、題号下に「最悪の事態に備えを」の読者向けの呼びかけを掲載、中面では「原発事故から身を守る」の特別ページを作り、放射線量を確認できるネット上の情報源も紹介している。

その後も、十六日付朝刊は1面トップで「高濃度放射能　復旧阻む」と危険な状態が続いていることを報じ、社会面では写真家・広河隆一が原発周辺を取材した様子を紹介し、住民居住地域が高濃度放射能下にあることを伝えている。連日、中面では「放射能　体への影響は」などの放射能への対処方を伝える紙面作りがなされ、それまで放射能汚染とまったく縁がなかった一般読者にとっては、まさにいま何をすべきかを考えるための資料として「役立つ情報」であった。しかし一方で、「健康への影響出ない値」と伝えることによって、結果として、たとえば広河が指摘する危険性は相対的に薄められていった。

そして朝日の場合も、十七日付夕刊以降は、「注水作戦」「電源復旧」がニュースの中心となっていく。周辺地区の放射能汚染を大きく報じたのは、二十四日付朝刊「屋内退避　募る不安／20〜30キロ圏　放射能リスクは」で、政府発表の「ただちに健康影響がでるわけではない」を批判し、「汚染地図」公表の必要性を謳った（ちなみに、二十三日に緊急時迅速放射能影響予測＝SPEEDIの結果が公表されている）。

他の新聞も、多少の濃淡はあるものの、およそ同じトーンの紙面づくりであったといえる（地方紙の場合も、共同や時事の通信社配信を利用している関係で、おおよそ在京紙と同様の紙面づくりであった）。それからすると、放射能汚染の拡散状況については、正確な情報がなかったとはいえ、十分な警告を発するに至らなかったし、少なくともフリージャーナリストなどの情報発信から（あるいは各地で高濃度数値が出ていたことは文科省から早い段階で発表され、各社はその情報を把握していた）、周辺地区に滞留することの危険性を、新聞なりに伝える方法があっただろう。むしろ放射能の危険性を伝えず、逆に政府広報（記者発表）を伝えることで、誤った印象を広める結果になったことは否定しえないのではないか。しかもその軌道修正は、結局なされなかった。

一方で、「炉心溶融」に代表されるような原子炉危機については、おおよそ迅速かつ的確に報道されていたといえるだろう。ネット上の批判のような「情報隠し」があったとは思えない。むしろ相当に踏み込んで、「最悪の事態」を伝えていたと思われるのである。しかし、「原発爆発」や「被曝」といった表現が、「原爆」や「被爆」を連想させ、必要以上に不安を掻き立てたという意見もあり、不安を助長せずに深刻さを伝えることには、さまざまな意見があることがわかる。

反原発・脱原発、原発容認・原発維持

在京紙は、反原発・脱原発の朝日・毎日・東京各紙に対し、読売・産経・日経各紙は原発維持・容認と、はっきりと二分される状況だ。ちなみに毎日新聞は二〇一一年四月十五日付社説で、地震国であることを考慮し、長期的な視点で原発からの脱却を進めたいとし、朝日新聞は七月十三日付社説で、二十年後に「原発ゼロ社会」の目標を掲げ、全力で取り組みながら数年ごとに計画を見直そうと提案した。朝日新聞はまた、省エネと自然エネルギーの拡大を訴え、電源を分散させ、発電部門と送電部門を切り離し、競争を促す公平な体制を整えるべきだともしている。

一方、読売新聞は七月十六日の社説で、全五十四基の原発が止まると、国内総生産が十四兆円以上減り、五十万人が失職し、発電コストが四兆円増加する、という民間調査機関の予測を紹介し、近隣諸国から電気を買えない日本は脱原発ではやっていけないと指摘した（その後もたとえば二〇一二年十一月二十五日付社説は、「『脱原発』の大衆迎合を排せ」とのタイトルのもと、脱原発はご都合主義であって、原発ゼロ方針を無責任と批判した自民党は、責任政党として妥当と評価する）。産経新聞は社説で、「原子力は日本の基幹電源であり、生命線」だと指摘。「今のままでは日本はエネルギー最貧国に転落しかねず、『世界一安全な原発』をめざそう」と訴えた。

地元の福島民報では、エネルギー政策について明確な見解を示した記事は、最初の二カ月は見当たらず、六月にはいってから「歴史を振り返りながら、自然エネルギーも含めて各発電の強みと弱みを検証することが新しいエネルギー政策づくりに結びつく」、「諸外国は原発推進の堅持と、脱原発への転換などに分かれている。被災した原発立地県として、国内外に向けて、安全性の確保や原子力利用についての見解を示すことが求められよう」（六月二日付）と、従来方針の見直しを示唆する。

福島民友も「事故を教訓に、太陽光や風力といった再生可能エネルギー利用への動きが加速するかもしれない。安全なエネルギーとして可能性は広がるものの、コストなど一長一短もある。地域に応じ、戦略を明確にして多様な発電方法を考えていく必要がある」（五月二十五日付）とする。同紙はまた、原発事故調について「委員たちが『原子力ムラ』といわれる原子力の専門家集団の閉鎖的体質にどこまでメスを入れることができるか、力量が問われる」（六月八日付）と書いた。

二紙はともに、今後は強力な「政・官・業・学・報」体制の呪縛を自らが解き、他県とは事情が異なる被害実態や雇用環境を踏まえ、原子力行政に関しどこまではっきり言い切れるかが問われることになろう。

なお、福島民報の社説「論説」やコラム「あぶくま抄」に滲み出るのは、「震災は今なお続いている」、「県民は目の前の危機を乗り切るのにいっぱいだ」（四月十一日付）、「被害者の苦しみは今、目の前にある」（五月十四日付）というように、終わりの見えない未曽有の原発事故に対する怒りや不安、悲しみといった内容である。事故の責任については、「東京電力、国の責任はとてつもなく重い」（四月十七日付）、「目に見えない汚れを取り除くことが東電と国の責務だ」（五月九日付）、「責任を取るべきは、政府と東電のトップだ」（五月三十日付）とある。福島民友の社説・コラムの主張も、おおよそ同じだ。

全国紙と地元紙では、「大切にするもの」が違っている。地元紙では、県内全域の詳細な放射線量一覧を掲載したり、安否情報とは別に、行方不明者と死亡者の名簿のほか、「身元不明の遺体名簿」が紙面を埋めたのが大きな特徴であった。性別、歯の治療痕や手術跡、着衣の様子など遺体の特徴が詳細に記載された。これらは、放射能汚染によって避難を余儀なくされ、もとの居住地から遠くはなれて避難生活を送る市民のために、可能な限り詳細な情報を送り届けようとしたものである。

また、初期の段階から見開きで「生活情報」を伝える一方、終面を被災者の声で埋め、孤立しがちな避難住民の情報の発信機能を果たしていた（民友「避難所から」、民報「避難所からの声」）。さらに在京紙が報道する以前から、欧米の放射性物質拡散データを紙面化した。

同様な紙面作りの姿勢は、表記や言葉の使い方にも微妙に表われる。たとえば、「放射線」と「放射能」では、読み手に与える印象が少し違う。前者は〈放射線治療〉などの医療用語として一般に使用されてきた経緯があり、後者はむしろ〈原爆〉を連想させ、より危険性を感じやすいという違いがある。朝日新聞では、五月十二日付朝刊を最後に、「放射線汚染」は原則として使用されなくなり、「放射能汚染」という言葉が圧倒的に多く使われている。少なくとも朝日新聞は、両者の違いを意識していたといえる。これに対し福島民報では、「放射線汚染」という言葉は「放射線汚染マップ」という記事の他には見当たらず、当初から「放射能汚染」のみを使用している。このことから、今回の東日本大震災によって起きた原発の事故に対する意識を、朝日新聞よりも福島民報の方が住民に対する危険性という点で、より深刻に捉えていたといえるかもしれない。

東日本大震災で被災した福島・岩手・宮城の三県を指す〝被災三県〟といういい方についても、全国紙と地方紙では現われ方が異なっている。新聞データベースを調べたところ、朝日新聞では、被災三県という言葉が震災後三カ月間で八十四件（見出しと本文を含む）使われていた。なお、被災後に朝日で初めて被災三県という言葉が出てきたのは、震災翌日の二〇一一年三月十二日である。「災害医療チーム被災三県に派遣」という見出しで使われている。

一方の福島民報は、四月二十四日の復興増税で賛否両論という記事の本文中に、初めて登場した。約一カ月以上もズレがある。民報では、被災三県という言葉が用いられた記事は合計八件で、政治家の発言としてそのまま用いられている場合もあり、朝日新聞と比べると、使われる機会は少ない。ちなみに、河北新報、岩手日報は、データベースで検索する限り、被災三県という言葉は使っていなかった（日経テレコン21）。この結果を見ると、地方紙は被災三県という言葉でまとめずに、それぞれの地名での表現が多かったことがわかる。地域住民に詳細な地域情報を提供しようとする地方紙ならでは、といえるだろう。

メディアの特性による違い

テレビやラジオ、新聞などの伝統的なメディアは震災発生当初、行政をはるかに上回る量と質の速報で、被害実態を広く一般に伝えることに貢献し、同時に一定の安心感の醸成、広範な支援の形成という点で、大きな力を発揮した。それは、継続的かつ安定的な取材網を有し、しかも鍛えられたプロフェッショナルな記者が、精度の高い情報を現地発で発信し続けたことによるものである。

ただしその後は、政府など公的機関の発表に頼らざるを得ず、「大本営発表」との批判を受けることもあった。なお情報隠しの本質は、メディアというよりも政府そのものの態度にあり、大本営発表の主語も、一義的にはメディアではなく政府であって、その意味でも各種報道を大括りして大本営発表と称することは、正確ではなかろう（政府の情報公開対応については後述する）。

ただしそこに、従来からの取材報道体制への懐疑や批判が含まれていることが重要である。すなわち、これまで伝統メディアは、自らの取材で得た確実な情報のみを流すことを旨としてきた。その関係から、信憑性が高いという点で、政府発の情報を民間情報よりも上位に置く傾向にあった。これが従来の「発表ジャーナリズム」に対する批判の内実であり、今回、特に「情報隠し」と見られることになったわけである。

もちろん、原発事故における現場へのアクセス規制や、専門知識の欠如、事態の広がりの大きさや絶え間ない進行によって、政府および東電発表のフォローが精一杯で、検証に割く時間も力も不足していたことが、その欠陥をより増幅させたのである。しかしながら、その根幹には、伝統メディアが抱える限界と構造的問題が、見え隠れしている。

原子力が日本のエネルギー行政の根幹である以上、事故が発生する前の平時における知識の決定的な欠如こそが、現在のメディアの実力を指し示す。それこそが最大の問題であるという極めて真っ当な批判を、どこまで受け止めて現行の取材体制を整備し直していくかが問われている。これは原発・放射能に限らない、現場記者間の徒弟関係に頼った現行メディアがもつ潜在的、実態的な構造的欠陥である。しかしながら、その具体的対応策はなかなか見えてこないのが実情である。

ただし、そうした根本的なことがら以外でも、軌道修正の時間と機会があったにもかかわらず、その後も十分に見直しが行なわれていないことも多い。たとえばすでに触れたように、用語の使い方一つをとっても、原子炉の正常な状態を前提とする「冷温停止」に「状態」を付加した、「冷温停止状態」という政府・東電の造語を、紙面や番組で頻繁に使用することで、異常な事態が継続している状況を見えづらくし、安全に制御できているかのような錯覚を生んでいる。

こうした造語による安全・安心イメージの醸成は、当初の「想定外」に始まり、「低濃度」や「不検出」といった、危険性を低く印象づける言葉にも表われている。これらの用語は、時として責任の所在を不明確にし、当事者責任を意識的・無意識的に回避させることになる。政府・東電発表と距離を置くという意味において、本質を見据えた言葉の使い方をすることは、まさに前述の専門知識不足の中で「騙されない」——それはすなわち読者・視聴者を騙さないことでもある——ための第一歩でもあろう。

政府は食品や空気中の放射能汚染を、「安全である」、「ただちに人体に影響はない」とPRするが、それを受け売りすることなく、読者・視聴者が判断するのに十分なナマの数値をきちんと報ずること、安心と安全の違いを峻別し検証し伝えることが、報道機関の役割である。

たとえば、二〇一二年夏現在においても、放射能汚染に関する食の安全については、「不検出」という言葉で安全性を表わしているが、これはあくまでも、政府が定める放射線安全基準値以下であるということに過ぎない（もちろん、当初批判が強かった暫定基準に比して、現行の基準は食品別に分類されずいぶんと分かりやすくなっている）。これは政府基準をそのままトレースして、いわば政府の、食べても大丈夫との「安全」PRをそのまま受けて、「安心」報道をしているといえる。報道機関として安全を検証しているわけではないし、たとえば実際の数値を報道し、その安全判断は読者・視聴者に委ねるという選択肢もありうるはずである。

あるいはまた、今後はどのように「不明情報」や「不確定情報」を流すかが問われるともいえる。

いい換えれば、その時点で収集した情報では結論を出すには尚早で、「わからない」あるいは「情報が不確実である」ということを、番組や紙面で表明することができるかどうか、ということだ。そうすると、読者・視聴者のパニックを引き起こしかねない、との反論が必ず出されるであろう。この「パニック症候群」への恐れは広くメディアを覆う伝統的な報道原理だが、そこには新聞社や放送局の驕《おご》りがないかどうか、改めて考え直す時期にきている。

この問題に関し今回は、刺激的な情報や凄惨な画像を流すと、社会の混乱を引き起こすので放送しなかったという言い方がなされる。たとえば原発爆発事故の直後、日本在住の外国人が自国政府の避難（帰国）勧告などを受けて、いっせいに空港に押し寄せた映像が、国内でさらなるパニックを引き起こす可能性があるとして、多くの放送局が放映を差し控えたとされる。原発・放射能汚染全般の「安心・安全報道」の多くが、このカテゴリーに入るともいえる。ただし難しいのは、震災直後の原発の状況については（今も多かれ少なかれ同じような状況であるといえるが）、すべてが推定に頼らざるをえず、確証をもって安全か危険かをいえるだけの材料を、政府・東電も、ましてや報道機関も、もちえていなかった点である。

しかしながら、この点についても事前にある程度の専門知識が蓄えられていれば、単に政府発表を「タレ流し」するだけの紙面・番組づくりとは、違った結果になったと思われる。政府は「危険」情報（放射能汚染・拡散データほか）を入手し、危険性の認識があったにもかかわらず、その情報を発表することをせず、報道機関もその秘密保持の壁を越えることができなかった。しかも実態としては、SPEEDIなどの放射能拡散データにしても、意図的に秘密情報として隠していたのではなく、文科省のほか外務省や一部の地方自治体などで情報共有され、ほとんど時差なく米国政府にも伝えられていた。まさに、知らぬはその情報をいちばん必要としていた住民だけ、というやりきれない結果を生むことになった。それを考えると、こうした情報の流れを知らなかったこと、あるいは摑めなかったことは、伝統メディアの取材力の不足と批判されても仕方なかろう。

アメリカの9・11同時多発テロやハリケーン「カトリーヌ」の災害の後でも、政治家などが民衆のパニックを恐れて過剰反応をした「エリートパニック」（レベッカ・ソルニット『災害ユートピア』亜紀書房、二〇一〇、参照）という現象が検証されている。しかし視聴者は本当に、テレビや新聞の情報を鵜呑みにしてパニックを起こすのだろうか。災害社会学者キャサリン・ティアニーは逆に、主に公的機関や、権力を行使できる立場にいる人々の方が、災害時には往々にしてパニックに陥る例が多いことを指摘している。

したがって今回の事態で考えるならば、政府が、国民がパニックになることを恐れて安全PRを重ね、放射能拡散データなどを隠蔽し、メディアもまた、伝統メディアが「エリートパニック」に陥っていたのではないか。むしろ受け手はこの事態を経験して、より「賢い市民」に成長してきているのではないか。受け手は、ネットユーザーが確認のために紙媒体を買ったり、伝統メディア派がネット情報をチェックしたりすることで、それぞれの媒体の特性を意識的・無意識的に考えながら、情報の選別と確認作業を自らの責任で行なおうとしているのだ。まさに自分のあるいは家族の命が危険にさらされるなかで、重層的な情報を活用し、しかも自身の情報リテラシーを発揮して、必要な情報を取捨選択し判断しようとしているのである。

今回のSNSを通じた情報の流れを、従来の「コミュニケーションの二段階流れ理論」の、一つのかたちだとする説もある。すなわち、マスメディアの影響はそもそも限定的でしかなく、専門知識と強い関心を持つ「オピニオン・リーダー」からの個人的な影響（パーソナル・インフルエンス）が、一般の人々の意見を変える力を持つというものである（たとえば清水英夫ほか著『マス・コミュニケーション概論』学陽書房、二〇〇九、参照）。しかし今回の場合は、それよりもクロスメディア接触が広範に起きたこと自体に、注目すべきではないかと思われる。

新聞の時代は終わったとか、ネットはデマばかりといった決めつけにより、特定メディアに偏った接触をするのであれば、せっかく多様化したいまのメディア状況をうまく生かしているとはいえない。この間、大手メディアは、原発・放射能汚染について読者・視聴者不在の「安心・安全」報道を継続し、国民からの信頼感が著しく低下したといわれる。

とりわけネット上では、新聞やテレビといった伝統メディアについて、「百害あって一利なし」というような全否定が多かった。その多くは印象批判であって、個別具体的な記事や番組批判とはいい難かったり、ある特定の報道だけを取り出して集中砲火を浴びせるものであって、正当な批判とはいえないものも少なくなかった（その代表例は、上杉隆による大手メディア批判であるが、これに対しては奥山俊宏「〈福島原発事故〉報道と批判を検証する――東電原発事故の現実と認識、その報道、そしてギャップ」『ジャーナリズム』二〇一二年七月号の反論が参考になる）。

ただしいずれにせよ、新聞・テレビの報道に対する信頼性が揺らいだことだけは、各種調査からはっきりしている（前出の野村総研のメディア接触調査もその一つ）。新聞業界自身が行なった調査においても、たとえば、第四回メディアに関する全国世論調査（新聞通信調査会、二〇一一年十一月二十八日発表）によると、東日本大震災に関する新聞報道について評価が高かったのは、「被災地の状況＝七五・八％」、「被災者の安否情報＝六三・二％」で、逆に「放射能の拡散状況＝三八・九％」「電力事情やエネルギー政策＝三四・六％」などは評価が低かった（実施期間＝八〜九月、調査対象＝全国の十八歳以上の男女三四六一人が回答）。

なおこの点で、とりわけネット上では震災直後から、テレビに対し厳しい批判が続いた。しかしこれには二つの注意が必要だ。それは現在のテレビは元来、「お茶の間」メディアであって、そうしたメディアとしての宿命を負っているということである。これは、子どもからお年寄りまでが、スイッチ一つで簡単にアクセスできるメディアであって、しかもおおよそすべての世帯に普及しており、かつほぼ無料で視聴できる環境にある。したがって、その表現内容は判断能力が十分でない視聴者を考慮して、抑制的にならざるをえない面がある。

むしろ、ソーシャルメディアの特性を、速報性、断片性、娯楽性と考えるならば、まさにテレビこそが「ソーシャル」メディアの先陣を切っているともいえる。あるいはテレビがもつ「マス」性こそが、安定的なマーケットを確保し儲かるビジネスを実現することで、日本の無料放送モデルを支えているといえるし、そのマーケットの大きさ（視聴者数の多さ）が、表現の内在的制約に結びついている側面を否定できない。さらには後述するように、法制度上も、災害時の報道内容が法規制を受ける要因にもなっている。

こうした要素を勘案するならば、今回の報道傾向もある程度はやむをえないものであって、たとえばテレビがネットや雑誌と同様の、断定的あるいは懐疑的な報道をすることは、ないものねだりであり、そのメディア特性からすれば、ありえないことであるといえる。むしろそうしたメディア特性を了解したうえで番組を視聴するという、受け手の理解力が求められているのである。

2 被災者に寄り添う報道とは

何が距離を縮めるのか

もちろん、そうした特性をきちんと理解したうえで、適切な対応をしなくてはならないのはメディア自身である。伝統メディア、とりわけ新聞やテレビは、「被災者に寄り添う報道」をコンセプトに、番組・紙面づくりを行なっている。しかしその言葉に自己満足し、その言葉を抽象的なスローガンにとどめてはいないだろうか。最も困っている人、最も弱い人、あるいは被災者や地元の見方や意見を、具体的にどう発信していくかが問われている。

二〇一二年夏現在、被災地の多くは瓦礫が積み上げられ、津波被害のあと地には雑草が生い茂っている。その中でどう息切れせず、忘却せずに伝え続けていくか、それはとりわけ被災地以外の報道機関において、取材・報道の「継続力」が問われている。

放送局への視聴者意見は二〇一一年夏段階で、すでに「いつまで被災ニュースをやっているのか」といった苦情が多数寄せられている（たとえば放送倫理・番組向上機構＝ＢＰＯに寄せられる視聴者意見）。これは、とりもなおさず被災地ニュースを流していては視聴率が取れないことを意味し、番組編成・内容に影響を与えている。新聞も、震災半年を契機に、紙面から震災特設ページをなくすなど（たとえば朝日新聞の「被災地から」欄は、毎日掲載から週一回に「格下げ」になった。その後、毎日新聞の「希望新聞」も週一回掲載となった）、量的な減少は明らかである。二〇一二年夏段階で、毎日の紙面で震災関連の特設ページを設けている在京紙は、読売新聞「震災掲示板」と東京新聞「３・11後を生きる」だけで、とりわけ前者は現地で起こる日々のニュースを取り扱っており、その継続力は高く評価できる。後者は、被災地域の新聞からの転載や被災地で活動するＮＰＯなどとの連携紙面が特徴だ。

ニュースがあれば掲載することに変わりはなく、全体としての量は減少していないとの反論が見られるが、固定欄がなくなることは、「寄り添う」姿勢の変化であろう。あるいは、とりわけ被災地の「変わらない」状況を伝えるのに、「新しいニュース」として記事化することはなかなか難しい現状があり、そこに固定欄を有することで紙面化されるという意味合いがある。

たとえば福島民報や福島民友では、犠牲者リストのほか身元不明者特徴情報や、震災生活情報、地区別の放射線量などを、多い日には四〜五面にわたって掲載していた。岩手日報や東海新報は、全避難所の名簿を独自取材で掲載した。こうした地元紙ならではの厚い取材力を背景とした紙面は、在京紙やましてや放送局には望むべくもない。しかし、現場に必要な情報が何かという想像力を常に研ぎ澄まし、その思いを抱えて紙面構成や番組づくりをする必要があるのではないか。

東京発のニュースが「復興」を主要テーマとするのに対し、地元報道機関が半年後の状況を「被災直後」と表現しているのに代表されるように、現場と東京の認識の差は、当初指摘された「温度差」からさらに亀裂を増している。被災地（被災者）が知りたい情報と、東京発の情報の「落差」が指摘されている。この抜き差しならない意識の差が固定化することによって、被災地域の住民は「差別」されていると感じるようになっていく。これはすでに、米軍基地問題における沖縄差別で実証済みのことであって、いま多くのメディアが同じ過ちを繰り返そうとしているように思えてならない。

たとえば震災直後の三、四月ごろ、東京における東電の会見では原発事故の状況に質問が集中したが、より具体的な被災地の放射線量情報や退避指示などの行政決定の根拠や妥当性といった、被災地が直面する切実な問題への関心は、東京では優先順位が低かった。それは新聞社や放送局内ですら、現場が欲しい情報が東京からは流れてこない、あるいは記者会見で被災地の疑問に応えるような追及がない、という声があったという。

こうした「温度差」に対する批判の例としてはほかに、死者の数の発表がある。在京紙の多くは（被災地以外の新聞の多くがそうであったが）、震災四日目の紙面で、死者千人といった警察庁発表をそのまま掲載した。これに対し、最初から犠牲者の数は万人単位であることが予想されており、被害の状況を矮小化したのではないかという批判がなされた。あるいは、一週間後（各紙三月十九日付紙面）に「阪神超え」という見出しを立てることにも、同様のズレが指摘された。

そのほか、東京のキャスターや記者がヘルメット姿で取材に来ることや、放射線計測器のアラーム音を鳴らしながら避難所を取材することに対する嫌悪感など、その亀裂は埋められていない。それに加えて、東京ナンバーの黒塗りのハイヤーで被災地を回る在京紙の新聞社の姿が、さらに追い討ちをかけるという状況があった。

ただし、受け手の側にこうした認識の差が生じること自体は自然であって、それを踏まえた番組編成や紙面構成がなされるのはある意味では当然で、温度差自体がいけないとは言い切れない。むしろ情報量だけの問題ではなく、たとえば福島から他県への避難者を「逃げてきた」と表現することに見られる、当事者の心の痛みへの無理解など、作り手・送り手の想像力や意識の問題、あるいは番組・紙面内容の視点の問題だともいえる。

在京紙は東北三県を中心に記者を増員し、はりつけ、二〇一一年末現在、手厚い取材態勢を維持している。たとえば、毎日新聞は釜石に三陸支援支局を開設、事実上、三人の本社記者を常駐させていた。朝日新聞は盛岡・仙台・福島の中心支局を大幅に増員するほか、三県の沿岸部に四つの支局と通信部を置く。読売新聞も同様の取材態勢を組んでいる。放送でも、在京局（キー局）のうちTBSは、気仙沼に三陸臨時支局を置き、JNNネットワーク二十七局間の協力体制の下、継続的報道をめざしている。

ただし、こうした取材態勢も、一年半が経過する中で、徐々に縮小傾向にあることは事実で、二〇一二年末の総選挙のような、報道機関にとって大きな予算措置が必要な取材対象が生じることで、その傾向にさらに拍車がかかる可能性がある。一方で東京新聞は、十二月一日付社告で福島支局の開設を伝えている。

在京報道機関の国内臨時支局の設置は、近年もっぱら取材体制の縮小を進めてきた新聞・放送局にとっては、極めてまれな「拡大」といえる。東北エリアの取材網の拡充は、通常の取材拠点である県庁所在地から、被災地である沿岸部までの物理的な距離の遠さと、取材エリアの広さによる記者密度の低さを解消することで、日常的な取材を可能にしている。また地元に常駐することで、地元被災者や住民との精神的（心理的）距離を縮めることにも役立っているだろう。こうした「距離の短縮」は、たとえば復興計画一つについても、東京あるいは県中央から発する見方に対抗して、地元の生《なま》の声を伝える大きな力になると思われる。

一般に新聞や放送などのメディアは、当事者の視点を大事にするといわれている。災害時にはそれは、被災者に寄り添うということである。ではいったい、「寄り添う報道」とは何か、新聞（在京紙と地元紙）の記事の扱い方からそれを考えてみたい。先に挙げたように地元紙では、1面の記事は被災者に関する情報が圧倒的に多い。一方全国紙では、被災者よりも福島原発や放射能の記事が大きく取り上げられた。九州・沖縄になると、さらに被災者の情報は少なくなる傾向にある。

もちろん東京の読者は、福島原発やそれにともなう放射能汚染への関心が大きいだろう。同じことはテレビの東京キー局にもいえることで、視聴者はあくまでも東京圏の住人であって、彼らの興味の範囲を報道することが視聴率につながるという事実が厳然として存在する。被災地報道と原発報道は一見異なる事象のように扱われがちだが、本来であればそれは別々のものであってはならないはずだし、実際、福島ではその二つは同じことだ。しかし現実は、どうしても東京から見た事故報道になりがちであり、そもそも現場は福島であるにもかかわらず、情報の発信元は東京（政府や東電）であったり、事故対応の方針決定も東京で行なわれるという事実を超えられないでいる。

なお、在京新聞各社の姿勢の違いも顕著だ。震災一カ月目に、毎日新聞が四月十日付紙面で被災地に「支援支局」を置くことを発表したが（釜石に設置）、ほぼ同日に朝日新聞は「ニッポン前へ委員会」の設置をうたう。どちらが正解かということではなく、そのベクトルの違いが興味深い。その後も仙台や福島への記者投入の仕方などで、被災地重視で岩手・宮城に手厚いか、原発取材中心で福島に手厚くするかで、対応が分かれた。同様に、義援金の扱いについても、各紙の姿勢の違いが見られる。募金寄付者の名簿を紙面化する新聞（たとえば東京新聞）、日赤などへの寄付を一面で大きくＰＲする新聞（たとえば読売新聞）など、いろいろだ。

『週刊現代』と『週刊ポスト』の大特集

さらにもう一つ、そうした継続報道の中には徐々に、被災当事者にとって不愉快あるいは不都合な情報も入ってくる。たとえば、特定地点の放射線量が高いという報道に対し、当該地域の農業関係者からは、ことさらに特定地域のみを取り上げた報道は風評被害を呼ぶ、との厳しい批判があった。場合によっては、報道が新たな二次災害（たとえば風評被害）を呼び起こす危険性もないとはいい切れない。それでも報道するという「覚悟」をもたなければ、本当の意味で記事や番組に責任をもった、被災者に「寄り添う報道」はできまい。その強い気持ちは、しがらみが多いであろう地元の新聞社や放送局こそが発揮しなければならないし、また在京各社が設置した東北臨時支局の日々の取材・報道活動の中で生まれる、地元住民との信頼関係の中で形成されていくものであろう。

伝える対象や内容は、送り手側の視点の問題とともに、震災発生からの「時間の経過」による受け手側の変化という課題を含む。すなわち、東京と現地という横の場所軸と、縦の時間軸が絡まり、誰に何を伝えるかの選択が、東京在住者を主要なターゲットにしつつ、実際はネットワークで原則として同じ番組が被災地にも流れる在京テレビ局にとっては、難しかったといえるだろう。

震災から二カ月を経たころ、東京では復旧、復興へと話が進むなかで、被災地ではなお水道も電気も復旧していない所が多数あり、日々の食糧にも困っている、という状態であった。しかも伝統メディアは、「ニュース」は伝えても「情報（内容中立的な素材データ）」はほどほどにという傾向や、一回伝えたことは二回は伝えないという癖（一般に「既報主義」と呼ばれる）を持つ、という問題もある。そうすると、毎日同じ生活情報を流し続けることはついつい避けたいという気持ちが、現場を目にしていない東京では起きがちになる。

いわずもがな、被災地で必要な「情報」は「いつどこで風呂に入れるか」といった「生活情報」であり、それは同時に大切な「ニュース」（最新情報）でもある。しかも、毎日の紙面で同じことが繰り返し掲載されることに、十分意味がある。しかし通常の紙面づくりからすると、こうした情報にスペースを割くことにはどうしても躊躇してしまい、ニュースバリューとしては東電の発表モノに重きが置かれる傾向にあった。

もちろん、地元紙はそのようなことはないものの、在京紙ではえてしてそうした状況が生まれがちになる。そして生活情報を掲載した場合も、結果的に中途半端なものになりがちである。その中途半端さを解消するために、自社ウエブサイトでより詳細な情報を掲載することや、専門サイトにリンクを張って参照を求めている。しかしその結果、たとえば首都圏の計画停電では多くの在京紙は、停電エリアについては「詳細はホームページ参照」と紙面に記すことで、結果的に紙面に掲載した停電エリア一欄表の記事は、要領を得ず役には立たない情報になってしまった。

その意味では、伝統メディアではいますぐ知りたい情報がわからないという事態や、時間のズレ、ニュースと生活情報の狭間の「漏れ」の部分を、ソーシャルメディアが埋めていたともいえる。さらにいえば、伝統メディアも東電批判を行ない、官邸の対応の遅さを指摘してはいたものの、原発や放射能報道における官邸情報への信頼は、まだ揺らいでいなかったといえるだろう。実際、伝統メディアは今でも、官房長官ほか政府から発せられる情報に拠って立っている。この点でも、当時の主流ではない別の見方（オルタナティブな情報）を、ソーシャル系メディアが積極的に伝えることで、読者・視聴者が、「真実」の度合いを個々人で判断することができる状況がはじめて生まれたと思われる。

時間が経てばたつほど、継続的な取材報道のためには各社が協力するなど、全国レベルで体制を整えていく必要があるだろう。それは、今回の震災を責任をもって伝え続けるための、既存メディアの社会的責務でもある。また、単なる報道機関としての社会的役割を超え、政府や電力会社と一体となって原子力開発（原発建設）を推進してきた、日本の新聞社・テレビ局としての責任があるだろう。

日本のジャーナリズムとりわけ伝統メディアには、速報主義、ニュース主義、事実主義、客観報道・中立公正原則がある。ニュース主義とは通常は、先に触れたように、情報ではなく新しく発生する事件（ニュース）を重視する姿勢である。ただし、とりわけ阪神大震災以降、災害後には地元向けの「生活情報」を報じることが一般化しており、今回も新聞各紙は特設ページを設置するなどした。また、現場で起きている「事実」を直視し伝えるという意味では、事実主義は正しいし、通常の報道において、真実により近い情報を求めて「事実」を積み重ね、そうした素材をもとに想像力を働かせて紙面や番組をつくることの大切さは変わらない。しかし単に早ければよいわけではないし、客観性を踏み越えてあえて主観的な報道が必要な場合もある。あるいは確証がない情報でも、報じることが被災者のためになる場合もある。それが寄り添う報道の現実的なかたちであろう。

ちなみに、震災後の雑誌の作り方は、従来とは大きな違いを見せている。いわゆる、「硬派」な誌面づくりである。その代表例は講談社の『週刊現代』である。二〇一一年五月の連休合併号で、グラビアを含め百十六ページの震災・原発事故の大特集を組んだほか、その前後の号でも軒並み百ページ前後を割いて原発事故を中心に震災対応を追及した。しかもその中身は、新聞やテレビが伝えるような悲喜こもごもの人間ドラマなどではなく、問題点の指摘一色なのである。また表紙の写真は、震災後から五月半ばまでの二カ月間、すべて被災地写真という徹底ぶりである。

こうした傾向は、小学館の『週刊ポスト』や、『週刊新潮』、『週刊文春』でもある程度共通しており、週刊誌と新聞・テレビとの視点や立場の違いを明らかにし、その存在意義を改めて示した。そのほかの多くの週刊誌も、原子炉内の事故状況に始まり放射線や食品の安全基準設定の不透明性など、初期段階から官邸発表の矛盾や問題点を指摘する記事が目立った。「被害者」福島のこれまでの誘致

異なる立場から誌面づくりをする『週刊ポスト』と『週刊現代』

実態（『週刊新潮』連休合併号）や、被災地犯罪実態ルポ（『SPA!』四月十二日号）は、週刊誌らしい視点の記事だった。それはまた、新聞やテレビにはない見方を提供するという意味で、前述のクロスメディア状況をより促進させたともいえる。いずれにせよ、震災報道でみせた雑誌の硬派ぶりは、他のメディアが「真相」を伝え切れていないことの裏返しであり、新たな〈ニュース雑誌〉の可能性を感じさせるものであった。

なお、『週刊現代』と『週刊ポスト』は、際立って異なる立場の誌面づくりをしていて興味深い。前者は最悪の事態を想定して東電や政府の対応を厳しく批判するが、後者は放射能デマが混乱を生む、自然エネルギーの代替には嘘がある（五月二十日号）と、冷静な対応を求めるとともに、「国難に立ち向かおう／日本を信じよう」と謳う（四月一日号）。ただし『週刊ポスト』も、事故後の三月発行号ですぐに炉心溶融を指摘し、放射線データ隠蔽や電力不足偽装（四月二十二日号、五月十三日号）ほかの「政・官・報トライアングル」が、国を滅ぼすと訴えた。

3　伝えないという選択

悲惨さをどう伝えるか

その一方で、事態があまりに凄惨すぎて、その悲惨さを十分に伝え切れないジレンマも課題の一つといえよう。多くの記者が、犠牲者や避難民と隣り合わせで取材をするという状況が続いた。しかし、そういう現場の記者が体験する凄惨さが、被災地以外の一般市民にはその十分の一も伝わっていない、というのが現状である。それはまた犠牲者や被災の直接的な報道に限らず、たとえば劣悪な避難所の状況についても同じである。

日本のメディアは遺体写真の掲載には抑制的であって、今回も捜索や収容の過程で一部「それらしい」写真を掲載することはあるものの、直接的な写真・映像の報道は新聞・テレビでは見られない。新聞やテレビは「お茶の間メディア」なので、オブラートに包んだ物言いにならざるをえない面がある。過度な不安を除去し社会を安定させることも、公共メディアの重要な役割であることは否定しない。それに対し雑誌は、凄惨な現実や悲しみを直視し、ストレートに表現しうる媒体だ。したがって遺体の扱いについても、雑誌は新聞社系・出版社系を問わず、過去も今回も掲載を続けている。

尊厳を保ちつつ死を表現するには、プロとして技量が必要で、悲しみの表現としての遺体写真は、場合によっては報道が許されるであろう。ただし、今回についていえば、死体の写真を不要とするほど、「それ以外」の津波被害の写真・映像で十分に凄惨さが伝えられるばかりか、それさえも流すことを控えるべきとの意見もある。もちろん、被災地域のとりわけ子どもへの影響を考えれば、津波のシーンなども含めた凄惨な現場を報道する（放送で流し続ける）ことの是非は、議論される必要がある。

凄惨情報の報道の可否ついては、最初の三カ月から半年という期間に限定した場合、遺体映像を出す必要はなかったと考える。遺体写真・映像がなくても、今回は悲惨な状態についての情報の共有や共感のできる絵づくりはできたと思うからだ。ただし報道機関は、被災地以外の一般市民には凄惨さが十分には伝わっていない、ということも認識する必要がある。しかもあと二、三年経てば、海岸線での犠牲者の状況やその当時の取材体験などは消えていく可能性が高い。それを記録としてどう残し、次世代に伝えていくかを考える必要がある。

これは、被災地における「負の遺産」をどう残していくかという問題とも共通する。二〇一二年夏段階で、田老町の決壊した防潮堤や被害を受けたホテル、気仙沼市の避難所として多くの犠牲者を出した市民体育館や打ち上げられた巨大貨物船、南三陸町の防災庁舎や石巻市の大川小学校など、津波被害の恐ろしさを残す建造物が取り壊しを待っている。一部には「保存」を求める声があるが、とくに関係者にとっては、目の前に存在しつづけること自体が、いたたまれない感情を抱かせるだろう。そうした被害者の感情を尊重することを前提に、どのように津波被害の教訓を後世に分かりやすく伝えていくかは、大きな課題である。

なお、ロイターほか海外メディアは、遺体写真の配信・掲載を行なっている（次頁参照）。ロイター配信写真のうち、犠牲者の手をアップにした写真構図は、過去に毎日新聞が中国・四川《しせん》地震の際に掲載して、議論を呼んだものと似ている。なお、遺体安置所内の海外メディアの撮影については、日

ロイター電の遺体写真ほか

本人の感覚とのズレなどから、現地でトラブルになったとの報告もある。海外メディアの場合、従来から遺体写真を扱うことは一般的だが、今回の場合、ちょうど同時期にリビア内戦の激化があったことなどから、日本取材に赴いた記者は、フロントページに掲載されるような映像（画）が欲しくて、より過激（凄惨）なシーンを欲したともいわれる。

雑誌では、『ＦＬＡＳＨ』二〇一一年四月五日号や、『週刊新潮』同年三月二十四日号の犠牲者・遺族の写真は、一枚写真の力を感じさせた。一方で『週刊現代』四月二日号は、遺体の全身写真を掲載し、顔部分にぼかしを入れたが、これが正しい処理だったかどうかは議論の余地がある。もし、犠牲者の尊厳や遺族の追慕の情に対する配慮だとすれば不十分で、むしろ形式的な対応でごまかしたと見られかねない。

新聞本紙ではないものの、新聞社の中には写真集で遺体写真を載せる動きが出ている。たとえば毎日新聞社発行の『写真記録　東日本大震災　3・11から100日』では、遺体安置所の写真を掲載した。ただし新聞社のアーカイブ化された写真の中には、被災直後の遺体写真を含むようなものは少ないという。同様の事態は一部のテレビ局でもあるとされる。そもそもテレビ取材班は、遺体が映っている画像は放送できないことが過去の例から自明であるため、最初からそうした映像は写り込まないように撮影したという。

ただし、現場に行った記者や取材チームには、会社に送信したもの以外にも、多くの手持ちの写真あるいは映像データが残っている場合があり、それらの記録データを再収集し保存する作業を、メディア自身が中心となって進める必要がある。それは、歴史の記録を後世に継承するという点で、報道機関としての社会的責任であると考えるからだ。広島・長崎の原爆写真を例にあげるまでもなく、写真は現場の「真実」を伝える重要な手段である。

現実の問題として、遺体や津波の凄惨情報を紙誌面や番組でどう伝えるかは、二〇一二年段階でもなお、大きな問題であり続けている。南三陸町の防災庁舎で亡くなった方の関係者からは、津波が庁舎を襲った瞬間の写真をNHKが震災一年めの特集番組で使用したことは、人格権の侵害に当たるとの苦情申し立てがあった（これは後日、取り下げられた）。いまだ行方不明者が多数あり、震災が「過去ではない」現実の中で、当時を想起させるもの、ましてや犠牲者が報道されることは、一部の遺族や関係者にとっていたたまれないことは容易に想像がつく。

しかし一方で、永久に「自粛」しつづける選択はありえないと思う。少なくとも津波映像・写真については、注釈付きで報道することが求められているし（実際、書籍やDVD、あるいはウエブ上で公刊・配信するテレビ局や新聞社が増えている）、その延長線上で遺体の扱いも考えられるべきであろう。

もちろん、故人が特定されるような尊厳を傷つける写真や映像の公開が求められているわけではなく、常識の範囲で公開・非公開の判断をするべきである。同時に、いまは公開に適さないと思われるものについても、報道機関として引き続き保存・保管することを強く求めたい。

もちろん、入手した情報を発信できるかどうかという問題は存在する。しかし、関係者への地道な「説得」によって報道を可能にするという努力をやめてしまっては、報道機関としての使命は損なわれてしまう可能性がある。その結果、事実は「なかったこと」として、社会から忘れ去られる結果になる。あるいは、さらに厳しくいうならば、どこかのタイミングにおいて、報道機関として必ず報じる決断をする必要があるだろう。それは、個々の取材対象者との信頼関係を超えて、その当該メディアが総体として被災地の信頼を得ることによって、可能になるだろう。そのためには、日々の取材と報道における努力を積み重ねるしかないと思われるが、同時にこうした「伝える覚悟」を持ち続けることも大切である。

報道の問題とは別に、凄惨な現場を経験した記者の多くは、強い精神的プレッシャーやストレスを受けたことが、その後数多く報告されている。テレビ局では、カメラクルーが撮影を意識的に避けたものの、発生直後の撮影映像には実際は遺体が数多く映されており、担当ディレクターらが放送用に、それらの撮影データから犠牲者をカットする作業に追われた。この作業についても、過重な心理的ストレスを受けたとされる（報道ストレスについては、報道人ストレス研究会『ジャーナリストの惨事ストレス』現代人文社、二〇一一、参照）。

信頼関係をどう築くか

放射能被曝を避けるために生じた取材空白地域の問題は、その後、基準運用の工夫は見られるものの、今後何十年も継続せざるをえない福島原発取材に関しては、個別の社内対応には限界があろう。一般には、年間積算量を基準としつつ、高濃度地域も含め特別な一時的取材は実施するようになっている。その場合は、可能な限り非組合員である中高年記者を派遣するといった運用がなされているようだが、それは基準というより一時しのぎにすぎないし、年齢とは関係なく被曝リスクを負っても取材したいという本人の意思があるなら、報道の公益性という観点からも、組織としてそれを拒むのは問題であろう。

しかし一方で、望まない人にまでリスクを負わせることは避けなければなるまい。したがって、現状では「志願制」にせざるをえないのであろうが、社によっては志願者が少ない現実もあるという。また、住民が現に住んでいる地域については、記者の常駐も復活し、在京紙などでは、ローテーションで記者を異動させる態勢を組んでいる。しかしこうした態勢も人数的に限界があるばかりか、とりわけ地元新聞・放送局では、現に住民が住み続けている中で、自分たちだけが線量を気にして異動することには、心情的にも難しい面があると想像される。

取材の基本が、記者と取材先との信頼関係にあることはいうまでもない。会社の方針とはいえ、ある日突然、取材を放棄して県外に異動するという行為は、取材先から見れば「逃げる」こと以外の何ものでもない。もしそうした取材先の心情を理解していないとすれば、そうした記者もしくはメディア企業にジャーナリズムを語る資格はないが、問題は認識しつつあえて信頼関係を壊す行為を強行することをどう考えるかである。

一度失った信頼関係を再構築することは難しいであろうが、それなくしては、すでに十年以上前から「死に体」とまでいわれ続けている、新聞に象徴される伝統ジャーナリズムの「復活」はない。幸いなことに、社命により意に反して地元を去った記者個人らと地元住民の絆は深く、仕事を超えて結ばれていることも少なくない。よく言われるたとえに、最初は「記者さん」と呼ばれ、そのうち「社名」で呼ばれるようになり、「名前」で呼ばれるようになって一人前、という取材先との関係の深まりを示す呼び名の変化がある。そうした個人間の信頼関係に頼りつつ、それがまだ残っているうちに、改めてジャーナリズム総体としての信頼を構築する必要がある。

今後は、新しい考え方に基づいた取材基準を設定し、政府に寄り添うのではなく、住民に寄り添う取材態勢を確立する必要がある。もっとも単純かつ分かりやすいルールは、多くの報道機関がすでに紙面や番組で主張するとおり、もし年間一〇〇ミリシーベルト以下の「低線量被曝」は健康に問題がないというのであれば、年齢や性別にかかわりなく、その基準に合わせて記者配置をすることだ。基準値としては政府より緩やかであるから、少なくとも居住者のいる地域には、記者は常駐するか通常の取材ができるわけで、「逃げた」という批判はなくなるだろう。

むしろ、南相馬市や田村市、広野町や楢葉町など、生活インフラが整わない町での生活再建は、まさに「福島の再生」のための試金石でもあり、コアな取材対象・地域とすべきであろう。少なくとも、取材エリアは政府の指示に従う、といった「思考停止」的な判断よりは確実にましである。

少なくとも従来の年間一ミリシーベルトもしくは近似値を上限値としたルールは、より緩やかな基準値に変更せざるをえまい。もし、国が決めた住民向けよりも厳格な社内基準がオープンになれば、その瞬間に住民との信頼関係は明らかに壊れるだろう。そうであれば、住民が住んでいるところは安全という仮の結論に従い、常駐や通常取材ができるように社内ルールを変えるしかあるまい。その一つはたとえば、被曝期間の長短によって、積算放射線量の基準値を変える方法だ。

具体的には、ごく短時間の被曝量は一ミリシーベルト基準を守るとしても、低線量地域に半年いる場合は二〇ミリシーベルト、一年以上の場合は五〇ミリシーベルトなどと、便宜的に限界値に差をつける余地はないのだろうか（ここでいう数値自体に科学的な根拠はない）。もちろんこうした値は、部外者がとやかく言うことではなく、報道機関内部で専門的知識をもとに議論の結果決められるべきものである。ただしこうした「工夫」によって、記者が継続的に同一地域を取材エリアにする可能性は高まるだろう。

この問題にさらにもう一つ付け加えるならば、報道活動に付与されているさまざまな「特権」を考えれば（たとえば税金が一般企業に比して安いなど）、取材を一方的に放棄するようなメディアに、そうした社会的特権を認める必要があるのか、という議論さえ成立する余地があるだろう。あくまでも、市民の知る権利の代行者として振る舞うことが求められるのに、当該地域の声を伝えることや、そうした声を知りたいと願う読者・視聴者の意向を、結果として無視することになりかねないからである。

4　監視能力が試される

膨れ上がる懐疑心

次に、主に原発報道をめぐる新聞〈ジャーナリズム〉のありようを見ていくことにする。もちろん、「いま」見られる報道上の問題は、「過去」のメディアの取材・報道姿勢の反映であり、悪しき慣習のツケでもある。したがって、現在の報道課題の検証には、少なくとも過去五十年間、日本の原子力行政を新聞がどう報じてきたかを丹念に追うことが必要になる。一般には、日本の原子力行政は、原子力基本法が制定される一九五五年に始まるとされるが、その前年一九五四年には、中曽根康弘ら超党派の議員によって原子力予算が計上された。当時、朝永振一郎ほかによる学術会議で結論が出ない中での予算化で、「学者がボヤボヤしているから、札束で学者のホッペタをひっぱたく」は、中曽根の有名な言葉だ（報道界の原子力行政への関与についてはたとえば、『原発とメディア』朝日新聞出版、二〇一二、参照）。

ここではまず、新聞業界が毎年策定する新聞週間代表標語から一つを紹介しよう。その標語とは、まさに原子力基本法が制定された年の、原爆とは違い「原発は善」との社会的雰囲気を反映した、「新聞は世界平和の原子力」（第八回＝一九五五年新聞週間代表標語）である。また3・11以後、多くの雑誌メディアなどでマスコミと東電や原子力行政との関係が語られている。震災当日も、現役やOBのメディア関係者と東電会長が、中国へ東電主催の招待旅行に行っていたことが報じられている。

このように原子力行政と新聞業界（報道界）は深い関係にあるが、建前上はそれと報道とは無関係のはずである。しかし、これまでの報道ぶりを見ると、どうしてもこうした関係が想起される。その一つの理由に、埋まらない情報の落差がある。「政府や東電の記者発表」と「テレビや新聞の報道」、それに対する「雑誌やインターネット」あるいは「海外メディア」との間にみられる情報のくい違いである。これが新聞などの、原子力行政への遠慮なのか、パニック回避のための自制によるものなのかは、番組や紙誌面からだけでは確認しがたいが、とりわけ最初の一カ月間の報道はお粗末であったといわざるをえない（現場記者からは、報道時には分からなかった「事実」があとで判明したことをもって、当時の紙面を情報隠しと批判するのは、「後知恵による批判」であって受け入れ難いとの声がある。しかし紙面については、当然結果責任を負うべきであろうし、ましてやそこに構造的問題を孕んでいる場合は、やむをえなかったとするのではなく、むしろその原因をきちんと内部検証すべきであろう）。

それが、取材力の限界とデータ不足に起因していたことは明らかである。事故当事者の東電も、そして官邸すら「事実」が把握できないなかで、原子炉の直接取材がかなうはずもない報道機関の限界は明らかではあるが、書き方の工夫は必要であったろう。たとえば、各紙は最初から「想定外」の事故であることを大きく報じた。二〇一一年三月十二日付各紙朝刊の大見出し、「原発『想定外』の危機」（読売）、「原発　想定外の事態」（朝日）などがそれにあたる。しかし、今回の津波や原発の対応については、その後「人災」の側面があったとの指摘が定着しつつある（二〇一二年七月発表の国会事故調査委員会報告書など）。

それからすると、当初の「想定外」という紙面づくりは、読者を誤って誘導するものであったといえる。また、事故当時から原発内の測量計器の信頼性が疑われていたにもかかわらず、測定結果に対しては、明快で断定的な官邸発表を、そのまま記事にする状況が続いた。それに関連して、「健康被害を（ただちに）心配する必要はない」という断定も、記事によく見られたフレーズである。「安全」の断定と対照的なのは、放射能汚染についての曖昧模糊とした記事の書き方である。東電や官邸の発表自体、その多くが、慎重を装った曖昧・もたつき・推測といえるような内容であって、要するに本当のことは分からないという逃げの会見であった。そうすると記事も結局、そのトーンをそのまま写した曖昧な表現になる。したがって問題になるのは、断定や曖昧さそのものではなく、発表が記事のトーンにそのまま反映されることの「意味」である。

東電は同じ発表内容で、東京と福島の二カ所で記者会見をしている。当初は一日四回であったが、二〇一一年五月には朝・昼・晩の三回になり、その後さらに減ってきている。福島の現地会見は、現地といっても六十キロ離れた福島市内の、福島県庁横の建物（自治会館）の災害対策本部前の廊下で行なわれていた。記者は、その前のわずかなスペースに寝泊りして発表に備える。ちなみに保安院が詰めるオフサイトセンターは同県庁の中にあり、記者に対しても近づくことすら認めなかった。

原発事故については、メディア各社の専門家（原発あるいは原子力専門の記者）はおそらく十二分に理解し、そして楽観視はしていなかったにもかかわらず、紙面には「あえて書かない」ことが多すぎたのではないか。あるいは、分からないことを分からないと書く勇気に欠けていたのではなかろうか（たとえば三月十八日付毎日新聞朝刊は、担当専門記者が「記者の目」で「健康にまったく影響なし」と書く）。しかしこの点で、「分からないことを分からないと書く」というのは後知恵で、当時の報道としては「報道の現場では、さまざまな努力が尽くされ、全体としては実態に見合った紙面がつくられた」という主張もある（奥山俊宏「福島原発事故報道と批判を検証する」『ジャーナリズム』二〇一二年七月号）。

先に紙面で見たように、もちろん当初から各紙とも、三月十四日もしくは十五日の紙面段階で「炉心溶融」との用語を使用し、読者がきちんと紙面を読めば、「相当に危険」な状態であることは分かっていたはずだという。しかし、通常の読者が一般的な読み方をした場合、むしろ全体のトーンは、官邸がいう「冷静な対応」に傾いたものといえるだろう。それは、以下の各紙の見出しからもうかがえる。

たとえば読売新聞は、三月十六日付朝刊「放射能対策冷静に」、十七日付夕刊「目立つ過敏報道」、十九日付朝刊「ネット情報選別冷静に」などと書き、また二十三日付の原子炉復旧シナリオでは「冷却系復旧し安定」とし、危機的段階は過ぎたとの識者コメントで補強した。読売新聞に比較すると、事態の深刻さを伝えていた朝日新聞も、「安全、危険、どっちなんだ」と被害者の声を見出しに立てるのは三月二十四日付朝刊であるし、二十九日付朝刊の現状予測とシナリオでも、二カ月後に東電が明らかにした程度の「最悪」すら想定していない。三月十五日付夕刊の1面で「福島第一　制御困難」、「最悪の事態に備えを」としたものの、多くの読者が目にする朝刊ではトーンを落としているのが現実だ。

もちろんその日の「当番」記者によって、同じ「事実」を扱ったとしても、紙面のトーンに揺れが出るのは事実だ。しかし、事故の影響が十五日段階で危険水域に入り、その状況を積極的に否定する情報がないのであれば、そうした「危険性」を継続して紙面化することが重要だったのではないか。新たな事実がないことをもって、危険性の報道が紙面から薄まることは、実際に過半の読者が夕刊を購読していない現実からすれば、大多数の読者に危険性を「伝えなかった」事実だけが残るのではないか（より詳細には、夕刊未発行地域向けの統合版と呼ばれる朝夕刊合併紙面の検証が必要になる）。

なお、先に挙げたように東京新聞は、「こちら特報部」を中心に、他紙とはかなり異なる傾向を持つ。これは、紙面編成をうまく利用した結果ともいえるだろう。震災前より、同欄は紙面の中でも「番外区」的な色彩を持って、他の記事のトーンとは違うものも含め、いい意味で「自由」な紙面展開をしていた。そしてその特性を生かし、早くから官製情報とは異なるさまざまな意見を紹介した。

原発事故報道についてのもう一つの問題点は、意思決定過程の不透明性・正当（正統）性についての追及不足である。今回の原発事故対応については、二〇一一年五月の段階に至っても、誰が意思決定責任者なのかわからない状況であった。それまでの想定では、原子力安全委員会委員長がその任を務めるのであったろうが、紙面でそのような主張がなされるのには二週間を要した。さらにいえば、その後も菅直人首相が陣頭指揮を執っている（かのように見える）報道が続いたが、現実には福島第一原発の現場責任者である吉田昌郎所長や、東京本社（本店）に陣取っていた専門家が事故対応の決定をしていたはずで、それが見えないおかしさの追及が、紙面上でほとんど行なわれなかった。

在京紙の一部では一カ月経つころになってようやく、事態の推移に米国政府の強い関与を指摘する記事が出始めていたが、これすらも「関与」止まりで、決定者の顔が見えたわけではない（たとえば、三月二十五日付朝日新聞朝刊）。また、雑誌などで盛んに書かれた「原子力村（ムラ）」についての記事は、さらに一週間を待たねばならなかった（たとえば朝日新聞では四月一日付朝刊、毎日新聞では四月八日付夕刊）。

事故後一年以上を経て検証記事も増えてきており、四つの事故検証報告書（国会、政府、東電、民間）が公表されたことで、「そのとき」官邸あるいは東電で何が起きたかの再現と検証が、ようやくなされてきているが、それでもなお事故の責任者が明らかにされない、あるいは米国の関与の度合いは不明のままの異常な事態が続いている。それは「いま現在」においてすら、原発事故が起きた場合の対応責任者が誰かが、判然としない事態が続いていることからも明らかである。

こうした政府中枢の意思決定の追及こそが、伝統メディアとりわけ新聞の取材力に期待されているし、存在意義であるはずだ。また同時に、この間の意思決定に関する政府文書が廃棄されないよう監視するのも、まさに伝統メディアの重要な役割である。せっかく軌を一にするように、二〇一一年四月に公文書管理法が本格施行されたにもかかわらず、「非常事態」であることを理由に、多くの文書がきちんと保管・保存の対象になることなく処理され、部分的には破棄されている可能性が極めて高い。

法のもとに設置された政府の原子力災害対策本部や中央防災会議で取り交わされた文書（もちろんメモも含まれる）をはじめ、官邸内の日米連携チーム（連絡調整会議）や危機管理センターの非公式文書、さらには東電に設置された原発事故対策統合連絡本部の文書もすべて、きちんと保存・保管し、後日、検証する必要がある。それは一般市民の力に委ねるのではなく、メディアの力によるべきものである（第6章参照）。

公共メディアの役割とは何か

政府や東電の事故対応やその後の意思決定に関する不透明性が解消されない中で、その状態を改善できず、その現実を受け入れているかに見える報道への不信は、ネット上を始め一般市民の間で、さらに広がっているようにも見受けられる。たとえば二〇一二年八月に、野田首相が官邸前デモを主催する市民団体と官邸内で面会をしたが、その取材についても官邸が強い拒否を示したほか、市民メディアの立ち入りや記録については、官邸記者クラブが認めないように官邸側に申し入れをしたとの情報が、ネットで流されている。

こうした漠然とした不透明感は、食品における放射線の安全基準についてもある。政府がいう「想定外」の事態を受けて、震災後、新たに「暫定」的でさまざまな基準が作られた。その基準の正当性自体についてももちろん検証を求めたいが、少なくとも、どこでどのような議論を経て決まったかの報道が不十分であった。ここにも従来型の取材・報道スタイルの限界がみられる。すなわち民間情報や海外情報より、日本国政府の発表や決定を相対的に上位におく体質と、官邸・官僚への絶対的な信頼感である。

一方で厳しく批判しながら「信頼」するというのはおかしな気もするが、正式発表があるまで放射性物質拡散予測を紙面化しない体質などは、それを裏づけるものである。同様のシミュレーションは、ドイツの『シュピーゲル』誌をはじめ、フランスの国家機関もウエブ上で公表していたが、日本の多くの社は三月二十四日付紙面ではじめて、文科省が所管する放射能拡散予測システムであるＳＰＥＥＤＩのデータとして、原子力安全委員会が公表したものを紹介した。

放射線量の表わし方も、官邸発表によるエックス線検査や飛行機搭乗時との比較などが報じられ、その後も安全性の説明としてその方法が変わることは、原則的になかった（たとえば、三月十七日付前後からの各紙報道にある「人体に影響する放射線量」図での「１９０マイクロシーベルト：東京・ニューヨーク飛行機旅行往復」などの表現）。また、保安院の「汚染水は拡散し薄まる」（三月二十六日付各紙）や、東電の「低濃度汚染水」（四月五日付各紙）という記者発表用語を、そのまま記事化することによって、読者に対して「たいしたことがない」との思いを広める効果を生んだ。同時期に海外メディアや民間団体などが、「普通でない」ことを指摘していたのとは、大きな違いである。

一つの情報源（シングルソース）しか持たず、現場取材不可の状況下での報道ノウハウが不足している、との批判があるが、これはまさに警察（検察）発表に基づく事件報道の問題点と同じである。犯罪報道において、警察発表をまず疑うか信じるかという、出発点の違いともいえるだろう。原発に入らず・入れずのジレンマのなかで、政府（保安院や官邸）と東電が一体化している状況があるのにもかかわらずである。しかも東電が、事故広報の原則である「隠さない・嘘をつかない・過小評価しない」をことごとく破ってきたことは周知の事実である。それでもなお、その秘密保持の壁を崩せず、発表を信じざるをえないのが、今の伝統メディアの限界であろう。

またこの間、紙面で頻繁に使われた言葉に、「正しく怖がる」がある（たとえば朝日二〇一二年三月二十一日付朝刊）。むやみに不安を煽るのではなく、きちんとした科学的根拠に基づいて危険を理解し、自分の健康・安全を守ろうという意味であろう。しかし、安全と安心の違いをどう示すかの社内議論はあったのだろうか。少なくとも見た目では、両者が同じという紙面づくりが進んでゆき、結果として報道機関として「安心」キャンペーンをすることになった点は、疑問が残る。

これは場合によっては、政府が示す国家方針を受け売りするといった、「国益」報道につながる可能性がある。今回の場合でいえば、政府が心情に訴える「安心」ＰＲの内実を、報道機関が「安全」の観点から客観的に検証し、報じる必要があったと考える。

事故の拡大と長期化の中で、専門家不足と専門性の壁に直面したと思われる各報道機関は、読者とりわけ被災地の「危険に直面」している読者の、知りたいことが伝わってこないという思いを拡大させ、それを助長し、固定させてしまった可能性がある。筆者が実際に被災地を訪れての最大の感想は、国家に頼るシステムが崩壊しているのではないか、ということである。時に、この国家システムにはマスメディア＝伝統メディアが含まれる。こうした根源的な問いへの答えの追求も、今後の日本社会の再構築のためには必要だと思われる。

報道には距離と規模による役割分担が必要である。災害時の伝統メディアの役割は、速報、情報共有の実現、安心の醸成、支援の形成といわれてきた。あるいはまた、災害報道のステップとして、伝える、拾う、提言するというステージがあるともされる。しかし、先に述べたように初期報道においては、伝統メディアは力を発揮したものの、その後においては本来の役割、責任を果たしきれないでいる。

その結果が、平時もダメ、有事もダメでは、公共メディアの役割は消失するではないか、との厳しい批判につながっている。これを乗り越えないと、震災前にすでにいわれていた、伝統メディアはその社会的役割を終えた、という声が現実のものとなりかねないだろう。

さらにメディアの一般原則としては、検証力（正しいことを伝える）、編集力（大事なことを伝える）、集約力（全体状況を伝える）、取材力（多くのことを伝える）、調整力（多様な見方を伝える）、安定力（安心感を伝える）が求められるが、当然ながら、これらのすべてを特定のメディアに求めることは難しい。とりわけ、今回のような広範で甚大な自然災害と、深刻な原発事故が同時に起こった場合にはそうであろう。

したがって、新聞・雑誌・放送（テレビ・ラジオ）・ソーシャル系メディアが、それぞれの強みを生かし、しかも東京、被災地、その他の地域の事情に応じて、情報を収集・発信していくことが求められる。さらに時間の経過とともに、あるいはその地域によって、役割の移行の見極めが必要である。それぞれのステージにおいて、可能な限り多層的な言論空間が、多元的なメディアによって形成されることが期待される。

たとえば先に述べた安全性に関する情報は、新聞・テレビの安全情報だけでは逆に不安感が募り、これらとは違った見方を示す多様な情報を、雑誌やネットに探さざるをえないことになる。実際、いまでも真偽さまざまな情報が飛び交っているのであるが、当然その中には、放射能汚染を警告するものがあってもよいはずである。

しかし、そうした多様な言論状況を、「不安を煽る」として戒める声があるのも事実だ。『アエラ』

『アエラ』2011年3月28日号

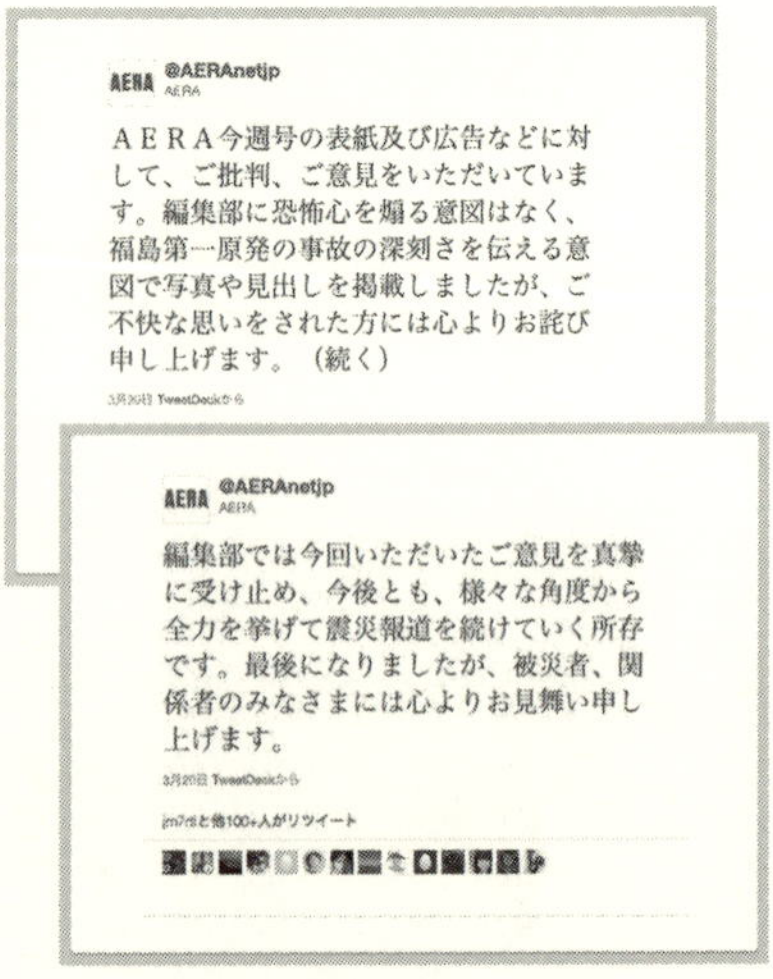
@AERAnetjp
AERA
ＡＥＲＡ今週号の表紙及び広告などに対して、ご批判、ご意見をいただいています。編集部に恐怖心を煽る意図はなく、福島第一原発の事故の深刻さを伝える意図で写真や見出しを掲載しましたが、ご不快な思いをされた方には心よりお詫び申し上げます。（続く）

@AERAnetjp
AERA
編集部では今回いただいたご意見を真摯に受け止め、今後とも、様々な角度から全力を挙げて震災報道を続けていく所存です。最後になりましたが、被災者、関係者のみなさまには心よりお見舞い申し上げます。
3月20日 TweetDeckから

「アエラ」表紙に対する編集部の「謝罪」

二〇一一年三月二十八日号の「放射能がくる」の表紙に対する非難の声も、その一つといえるだろう（右図参照）。さらに残念なのは、その批判に対し『アエラ』が謝罪したことである。同誌は、自身の公式ツイッター上で三月十九日、「ＡＥＲＡ今週号の表紙および広告などに対して、ご批判、ご意見をいただいています。編集部に恐怖心を煽る意図はなく、福島第一原発の事故の深刻さを伝える意図で写真や見出しを掲載しましたが、ご不快な思いをされた方には心よりお詫び申し上げます」と謝罪した。

もし軽率だと本当に思うのであれば、今回の事態に対する考え方はあまりにお粗末であって、雑誌として正式に謝罪し、その社会的責任を負うべきである。ただしそうでないならば、ツイッター上で中途半端なお詫びをするべきではなかったであろう。

時計を二〇一一年五月に戻した時、その当時、多くの被災地が「復興」という状況になかったことは明らかである。しかし東京から考えれば、財源を含めた復興議論をしなくてはいけなかったことも事実だ。一方で、被災地ではボランティアを含めた今すぐ活用できる人力が求められていたし、自治体による支援が空回りする中で、多くの被災者にとって物資がまったく不足していることは、実際に現地に入れば一目瞭然であった。こうした被災者向けサポートを誰がするかといえば、そのきっかけを作るのがメディアであろう。場合によっては、全国規模の世論形成も必要かもしれない。

震災後の一年は、各紙とも厳しい政権批判を繰り返したが、その従来の「永田町報道」とかわりばえがしない政治論議の空虚さと、進まない復旧・復興に関する行政への切り込み不足への批判が目立った。筆者が被災地を訪れても、行政（あるいは東電）に対する憤りは大きいものの、それと同様に政局問題に終始する東京の報道に対する批判も強かった。政府自体が震災・原発事故によって生じたリスクを、具体的にどう受け止め分散させるのかをいい切れないジレンマや、これまで原子力行政を促進してきた自民党政権と、それを支持した国民自身の責任を、いつどういう形で問うのかは今後の重い課題である。これらの問題については、さらに継続的に報道を検証することによって、メディアの役割を確認していきたい。

逆にいえば、だからこそこの原発報道の問題は根深く、その徹底的な検証とその後の変革が必要なのである。そのなかでも、検証が難しく改善も困難と想像されるのが、政府と報道機関との距離、あるいは国益と報道との関係である。それでいえば、いま政府自身が問われているテーマであり、とりわけ大マスコミに突きつけられている問題として、原子力行政とともに沖縄がある。この福島（原発）と普天間（安保）という「二つのF」の報道に代表される、政府と一体化した国益報道といかに一線を引くことができるか。それが、読者・視聴者に信頼されるメディアとなるための原点であろう。

第Ⅱ部　政治とメディア

第5章　政府広報の壁を超えるために

1　情報非開示への執念

３・11以降、政府は「国難」を理由にさまざまな禁じ手を解き、さらにはそうした状況を前提に新たな制度づくりに奔走している。あるいはまた、「緊急事態」であったからこそ、政権の本音が明らかになるとともに、法の逸脱行為が続いている。一方で、震災から遡ること一年半前に政権交代があったことで、不開示・非開示の行政文書（資料）が破棄されていたり、より深い闇の中に隠蔽されていたことが、はからずも多少なりとも表面化することになった。この意味するところは、支配政党の違いによることなく一貫して続く、政府の恒常的な秘密主義、秘匿体質だ。

二〇〇九年に政権交代した民主党は、党是として情報公開を掲げ、開かれた政府の実現を旗印にしてきたが、やがてそれが単なるお題目に過ぎないことを白日の下に晒した。東日本大震災に際しても、多くの政府機関で情報の隠滅が続いているとみられるが、そうした官の体質を、政府は改めるどころか一貫して追認してきている。たとえばそれは、議事録の未作成が「脱法」行為であるにもかかわらず、要旨を作ることによって代替できるとか、最終的な意思決定機関でないので必要ないなど、その場を取り繕うだけの法解釈の「変更」によって、記録がないことを正当化していることにも現われている。

さらには二〇一二年夏段階で、より強力な秘密保護法制（いわゆる秘密保全法）の立法化さえ、情報隠しへの批判が強いこの時期に、あえて進めている。こうした政府の情報コントロール、あるいは広義の政府広報は、3・11の前後で変更されることもなく、脈々と継続している。その一つの事例として、震災瓦礫の広域処理をめぐる、環境省で開催された有識者会議を挙げる。

この「災害廃棄物安全評価検討会」は二〇一一年五月に発足した、福島県内の震災瓦礫の処理方針を検討するためのもので、一二年三月までに十二回開催されたことが、ウエブサイト上で公表されている（同時に「安全評価検討会・環境回復検討会」も開催されている）。しかし会議自体は非公開である上、五回以降は議事録も公開されていない（議事要旨のみを公開）。この点について環境省は、費用がかさむので議事録作成をやめたと回答している（東京新聞二〇一二年四月七日付朝刊）。

さらに、七回までは録音テープはあるものの非開示、八回以降は録音すらしていないという。こうした例は特異なものではなく、むしろ省庁内で常態化している。二〇一二年に入って問題化した秘密保全法に関する立法過程においても、その検討会（有識者会議）は、「非公開・議事録なし（議事録要旨のみ開示）・録音なし」という、まったく同じ姿勢を取っている。これは、二〇一一年四月に施行された公文書管理法の趣旨に、明らかに反するものだが（さらには二〇〇一年四月施行の情報公開法の趣旨にも反している）、政府は一貫して違法ではないとの一点張りである。

公文書管理法四条が定める「経緯も含めた意思決定に至る過程」の文書作成義務は、具体的には誰が何を言ったかを含めた記録でなくてはならず、単に発言内容が記されたものや、ましてやその要旨にすぎない記録は、ここにいう意思決定過程を示すものではない。要するに、議事要旨をもって議事録公開義務を果たしているという言い逃れは、通用しないのである。

にもかかわらず、こうした実質的な行政方針を決める会議の議事録を作成せず、場合によっては会議で提出された資料さえも公開せず、意思決定は上位の会議で行なっているとの強弁が、いまだにまかり通っている。実際、関係省庁会議の議論も、政務三役の会議も、議事録は常態として存在せず、結論としての報告書が存在すればよい、との態度をとり続けているのである。

それは、二〇一二年春の大きな政治課題であった「大飯原発再稼働問題」でも同じである。最終的な「政治決断」は、首相および関係閣僚との「秘密」会議で決定したとされているが、その閣僚会議の議事録は存在せず、議論の内容を公表する必要はないと、藤村修官房長官（当時）は記者会見で述べている（現在公開されている四閣僚会議の記録は、最終結論を読み上げる「儀式」の部分のみである）。二〇一二年七月に入り、ようやく政府の最高意思決定機関である「閣議」の議事録を、取るかとらないかが正式に議論され、政府としてはじめて議事録を残す方向で検討をはじめるという。しかしこれすら、情報公開法改正案を閣法（内閣提出法案）として上程しながら、委員会審議にすら入らないまま廃案となった経緯からすれば、実現の楽観視はできない。

これは、政策決定については徹底して「知らしむべからず」の方針であって、あくまでも密室で決めることを大事とし、かつその内容は永久に秘密であるというに等しい。これほどまでに明白な、「知る権利」への冒瀆はない。そもそも、議事録としての「体裁」が整っているかどうかは別にして、会議の記録が組織に共有されることなく組織の意思決定がなされていること自体が、異常だという認識があれば、いかなる緊急事態であっても、あるいは「内輪」の会合でも、客観的な記録の作成と共有のなされないはずがない。それは本来、緊急事態だからやむをえないとか、議事録の不在などという言葉で取り繕うことは許されないはずだ。

こうした状況が指し示すものは、民主党やそれ以前の自民党、それにもまして官僚は、徹底して記録を残さないことに熱心である、ということである。それは、国民による検証を絶対的に拒否する姿勢にほかならない。なぜここまで、法の精神に背いて隠したがるのか、それに対しなぜメディアが徹底してノーをいえないのか、ここに現在の日本の病状がある。それは理屈では説明できない、既存の権益を壊すことへの畏怖としか思えないのである。

私たちは原発行政について、正しい情報を与えられることなく、接近することも許されず、政府とメディアのいうがままに自分たちの未来を委ねてきた。まさに、その構図が3・11を契機に改めて問い直されているのだ。民主主義社会は、多様で自由闊達な議論が保障された言論公共空間があって、はじめて成立する。しかし原子力・エネルギー行政に関しては、肝心の情報が一部の政府関係者や経済界のトップに独占され、意図的に操作されていたのである。しかもその情報操作の影響は、マスメディアにも及んでいたことが明らかになりつつある。私たちはこれまで、「無知」なまま自らの将来選択を迫られていたということだ。そして不幸なことに、その体質は政府も電力会社も、変わる兆しが見えない。

震災後、政府には「事故調査・検証委員会」が、国会には「原発事故調査委員会」が設置され、検証作業の結果として、報告書が提出された。あるいは、原子力安全・保安院による技術的検証のための専門家公聴会も、公開で実施された。しかし、事故調は一貫して非公開のうえ、議事録もごく簡単な概要のみで、一体どのような議論が行なわれ結論に至ったのか、皆目見当がつかない（原発と情報公開については、『情報公開 DIGEST』情報公開クリアリングハウス、および同ウエブサイト http://clearing-house.org/ 参照）。

しかも、これは通常の内閣や国会の運営においては「当たり前」のこととして、疑問が呈されることのないまま今日に至っている。政府の委員会の場合は、会議の記録（議事録や議事録要旨）がウエブ上で公開される際にも、配布された資料は非公開のものが多い。さらに場合によっては、会議が非公開で傍聴ができないなかで、配布資料があったこと自体を伏せている疑いもあり、会議の実態はまさに闇の中だ。国民の目からどこまでも事実を隠し通そうという意思があるとみられても、致し方ない対応ぶりだ。

こうした対応をとり続ける限り、原発の安全性は永久に信頼を得られないのであって、不透明な中でどのような結論になろうとも、その結論（それは最終的に原発の再稼働、推進の可能性が高いが）は認められるものではない。議論の経緯がわからない以上、国民の信を得た結論にはなりえないからである。だからこそ現時点で、エネルギーの将来について私たち市民が正しい選択をするために、政府・電力会社は十分な情報をすべて即刻開示しなくてはいけない。

すべての公的情報を直ちに「公開」する、そしてジャーナリストや一般市民が政府の「秘密」にアクセスするのを制限するルールを作らない。この「当たり前のこと」が実現して初めて、「真っ当な」原発論議が始まるのであって、それが実現しない中での「政治判断」は、国民の判断とは程遠いものにならざるをえない。人は自然を自由に支配することができ、それが社会の生産力を増し、結果として人々の幸福を生むという近代主義を、今回の震災で、改めて見つめ直す大きな機会を与えられた。その見直し作業に向けての第一歩が、政府が所有する公的情報の完全な公開なのである。

2 行政の危険な広報活動

形式だけのパブリックコメント

「社会保障と税の一体改革」というフレーズが、社会に広く喧伝され、消費税増税法が成立した。その大きな要因は、もちろんメディアが政治課題として大きく取り上げたことにあるが、そのおおもとはといえば、政府の広報力に負うところが大きい。政府広報の手法は大きく見れば、直接広報と間接広報に分けることができよう。前者は、政府が直接、国民との対話を通じて考えを浸透させる「公聴（ヒアリング）」活動や、各メディアを使って行なう「宣伝」活動で、いわば「プロパガンダ」である。後者は、政府が各種メディアへの情報提供などを通じて行なうさまざまな誘導行為である狭義の「広報」活動や、あとで触れるような社会に流布されている情報のチェック（監視）とそれへの対応といった、狭義の「広聴」活動といってよいだろう。

意図的に意味を拡散させたりイメージを誤らせる、役人が作り出した行政用語（決して専門用語ではない）は、新聞や雑誌などに掲載される政府広告や、ラジオなどで流される政府スポンサー番組によって、「直接」的に一般国民に送られ、そしてマスメディアの記事・番組を通じてジワジワと、強力に浸透が図られる。これまでも原子力行政の推進のために使用されてきた手法は、たとえば震災後でいえば、消費税率引き上げのためのスローガン、「社会保障と税の一体改革」や、さらにその実施の前提となる環境整備のためのマイナンバー法（国民共通番号利用法）案などで、メディアの力を最大限に活用する政府広報のために使われている。

こうした政策広報によって原子力の安全性をＰＲし、それは結果として原発の危険性やデメリットを隠してきたが、同じ問題点を抱えながら、同じ手法によるまったく同じ構図が続いている。たとえば、これらの広報は、当たり前のようにメリットのみを喧伝する。そして、これらの広報広告がマスメディアの大きな収入源となっており、さらに、関連する政府主催のシンポジウムでは、新聞社などが主催者もしくは会の進行役として重要な地位を占めている。まさに、政府の広報役をマスメディアが務める構図は変わらないどころか、現在もさらに強力に推進されているのである。

政府の広報予算は近年、約一〇〇〇億円程度とされ、そのなかには必要不可欠の行政広報の費用だけでなく、まさに上記のプロパガンダに要する経費も含まれている。たとえば二〇一一年十二月初頭には、全国の新聞約四十紙にいっせいに、「すべての国民の皆さまへ――社会保障と税の一体改革について」と題する全面広告が躍った（www.gov-online.go.jp）。人気のラジオパーソナリティ・小島慶子が野田佳彦首相と対談する形式をとり、この制度の必要性と消費税増税の必然性を訴える内容だった。それは議論のための素材を提供するのではなく、政府の考え方を説明し、説得するためのものとなっている。

同時に、「番号制度リレーシンポジウム」と題する、「社会保障・税に関わる番号制度」の導入に理解を求めるための説明会を、全国くまなく実施している（二〇一一～一二年度）。内容は、政府からの説明に続き、民間有識者による基調提起もしくは特別講演と、各界関係者を交えたパネルディスカッションである（官邸ウエブサイト参照）。同様に、「社会保障・税一体改革シンポジウム」も各地で実施された。

これらのシンポジウムの実施は、まさに「公聴」活動の一つであり、国民の声を広く聞き、政策・立案に生かす重要な行政活動であることには違いない。またこうした公聴には、政策実施の際に法に基づいて行なわれるものも少なくない。たとえば、「地域における歴史的風致の維持及び向上に関する法律」では、「市町村は、歴史的風致維持向上計画を作成しようとするときは、あらかじめ、公聴会の開催その他の住民の意見を反映させるために必要な措置を講ずるよう努め……なければならない」と定められている。あるいは公害等調整委員会設置法のように、ずばり公聴会の開催を定める条文を持つものもある。

公聴会はこのように、国民の生活、とりわけ地域住民に大きな影響を与える政策を決定する際に行なわれるのが一般的だ。その一般原則を定めるのは行政手続法で、公聴会や、「その他の適当な方法」としてパブリックコメント（意見聴取手続、意見公募）をすることが定められている。したがって多くの省庁において、一定の政策方針が決まった段階（審議会・研究会・検討会などの報告書や答申が示された場合など）で、主としてインターネット上で意見の募集を行なっている。

もちろん、こうしたパブリックコメントは、憲法で保障された参政権の一つであると位置づけられるが、しかしそれが十分に機能を果たしていない、という批判は強い。たとえば、そのあまりに形式的な運用に対する批判がある。所轄官庁はパブリックコメントを実施するに当たり、多くの場合、インターネットで実施する。しかし、多くの国民にとって、ある日突然、インターネット上で「意見募集のお知らせ」が出されても、気づいて対応することは事実上不可能である。では、少なくとも関連事業体が対応できるかといえば、それも難しいことが少なくない。それは募集期間の短さに原因があり、多くの場合は二週間程度しか認めていない。しかし、一つの行政方針についてわずか一、二週間程度で、組織としての意見表明をするのは無理である。したがって、個人にとっても団体（事業者）にとっても、実質的な意見を伝え、政治の意思決定に参画する「権利」を行使することは、まずできない。まさに、行政のパフォーマンスのための形式的実行なのである。

その意味で、二〇一二年夏に実施された、将来のエネルギー行政（二〇三〇年の原発依存度）に関するパブリックコメントは、その活用法が大きく注目された極めて珍しい例であり、場合によっては今後の意見聴取方法に影響を与えることがあるかもしれない（二〇一二年八月二十七日結果公表）。九万近いその数の多さと、原発ゼロ案に集中した意見傾向（八七％）を、どのように政策に反映させるかが問われたわけであるが、その意見内容の検討のための専門家組織を急遽発足させ、実質的に政策に反映させるための道筋を、見た目だけでも作ったことが興味深い。

このエネルギー政策を決める枠組みは、もともとは法に定めがある。自民党政権時代に議員立法でできたエネルギー政策基本法に基づき、国はエネルギー基本計画を定めることになっている。野田民主党政権は震災後の二〇一一年十一月三日、経済産業省・資源エネルギー庁のもとに総合資源エネルギー調査会基本問題委員会を設置し、三十三回の会合を重ねたものの、新しいエネルギー基本計画の制定にまではたどり着かなかった。一方で、首相を議長とする国家戦略会議のもとに設けられたエネルギー・環境会議において、二〇一二年十月十九日、「革新的エネルギー・環境戦略」を決定し「二〇三〇年代に原発ゼロを可能とするようあらゆる政策資源を投入する」こととなった。米国からの圧力で閣議決定が見送られた等の報道がなされているものの、ともかくも一応の基本方針が定まったといえる。

先に述べてきたさまざまな国民からの意見の吸い上げは、この決定過程においてなされてきたことで、「エネルギー・環境の選択肢に関する国民的議論」として、「話そう〝エネルギーと環境のみらい〟」(http:// www.sentakushi.go.jp)といった、エネルギー・環境の選択肢に関する情報データベースを開設、「選択肢に関する意見聴取会」を開催し(業務委託先の広告会社による意見発表者の人選が問題となった)、ほぼ同期間に「パブリックコメント」を実施した。そして専門家による「討論型世論調査」を行なうことによって、世論の集約を図った。その結果として政府は、まがりなりにも国民から示された圧倒的多数意見である〈原発ゼロ〉を、無視しえなかったのである。

しかし一方で、個別に見ていくならば、政府が当初示した選択肢の設定に始まり、情報提供のあり方、意見聴取の方法、そして最終結論と当初の選択肢の理論的整合性など、初めに結論ありきと思われる部分も少なからずあり、これらは「国民的議論」と銘打って政策決定過程へ多くの国民参加を呼びかける意味を、失わせるものであった。そうなると、実質的な意味がない従来の「形式的」制度が、世論操作のための巧妙な「ガス抜き」制度に変質したことになる。今回の出来事が、本来は国民の意見を吸い上げるための制度が、より大がかりに国民感情をコントロールするために利用される、「厄介な」制度になってしまう危険性を包含することになる。

原子力広報のからくり

原子力行政一般においても、先にあげた行政手続法に則り、公聴会などの聴聞手続がとられている。たとえば「核原料物質、核燃料物質及び原子炉の規制に関する法律」(原子炉等規制法)では、聴聞手続が定められており、原子力委員会が大臣から原子炉の設置許可の基準適用について諮問を受けた場合に、公聴会が開催されることになる。そしてこの公聴会は、公開で行なうことが義務づけられている。

日本で初めての原発公聴会は、一九七三年九月の東京電力福島第二原子力発電所（福島県楢葉町・富岡町）の建設をめぐってのものだといわれている（「自由新報」一九七三年九月十一日号、恩田勝亘『原発に子孫の命は売れない——舛倉隆と棚塩原発反対同盟二三年の闘い』七つ森書館、一九九一、ほか）。

しかしこの公聴会が、形骸化していただけでなく、そこでは政府など主催者側の意見誘導が積極的に行なわれてきたことは、すでに多くの指摘がある。むしろここでは、この公聴活動が、そもそも宣伝活動であるとともに、政府の広報・広聴活動の一環として行なわれているという、制度上の構図を確認しておきたい。広く住民の意見を聞くというよりは、あくまでも政府方針に理解を求めるための場なのである。

すなわち、形式的には平場《ひらば》の住民意見を聞くためとされ、意見形成過程の一つの要素のように扱われているものの、実質的には一連の承認手続きの最終段階における形式的手続きに過ぎず、政府方針を異議なく認めさせるためのものとして、すでに制度上位置づけられている。しかもさらに大きな問題は、こうした公聴活動や広告出稿などの宣伝活動が、大手メディアと一体になって実施されているという点である。

はじめの「社会保障と税の一体改革」の話に戻ろう。新聞の全面広告は、新聞社にとってはドル箱であり、大手紙ともなれば一回一千万円単位の広告料収入があるとされる。また各地で開催されるシンポジウムは、地元の新聞社と実質的に共催で実施されており、場合によってはその開催・運営費用などは、新聞社の事業収入となる（消費税増税に向けた一連の広告費は、週刊誌などで約四億円と報じられている)。

もちろん、編集と経営は分離していることになっているが、それは建前であることも事実で、膨大な政府予算が入るという現実に左右される場面があっても不思議ではない。しかも、このようなシンポの司会は、各地元新聞社（もしくは通信社）の編集幹部によって行なわれる。これは外形的に見れば、政府とメディアが一体となって、消費税導入のための地ならしをしたと見られても、致し方ない仕組みである。

こうした構図は、何もこの場合だけのものではない。原子力行政においても、政府・電力会社が強力に推し進めてきた手法そのものなのである。政府の原子力広報予算は、震災までの六年間で四百億円程度とされているが、さらにこのほか、電力会社の莫大な広報予算が存在する。一九七〇年代当時、電気事業連合会は新聞に広告を出稿するためにさまざまな工夫をし、原子力エネルギー推進の広告（CM）が新聞に、そしてその後テレビに、数多く登場することになる。

一方で間接広報ともいえる広聴活動の典型例は、3・11を契機に明らかになった、資源エネルギー庁（エネ庁）による記事監視といえよう。今回のエネ庁の記事監視は、目的を「不正確な報道の是正」とするが、実際はもっぱら原発推進に否定的な記事を収集していた事実が明らかになっている（たとえば東京新聞二〇一一年十一月二十日付朝刊）。その結果、二〇〇八～一〇年度の三年間で、二七五件の「不正確」な新聞記事が報告されており、その対象は記事のほか、広告や漫画にまで及ぶ。東京新聞によると、朝日新聞に掲載された、太陽光発電への取り組みをPRする広告が、「原子力の数倍の発電量を生み出せるような誤解を招く」として問題視されている。

もちろん、記事に対するクレームは、事実の指摘ではなく、主張に対する意見である。たとえば、原発建設反対の住民運動を紹介する記事に対しては、反対運動はごく少数の者の活動で、反対運動を支持する報道姿勢は疑問であるとしたり、プルサーマルの危険性を指摘する講演記事には、反原発論者の意見を写真入りで大々的に論じることは問題である、など徹底している。

これらは、以前から行なわれてきた政府による行動監視や思想チェックの延長線上にあるのであって、自衛隊（情報保全隊）が市民活動をチェックしていたことが二〇〇七年当時、大きな問題になったことを思い起こせばわかるであろう（それ以前、二〇〇二年にも自衛隊は、情報公開請求者の身元調査をしていたことが発覚し問題視された）。この自衛隊の監視行為は、「防衛省設置法に基づく調査研究であって違法性はない」（守屋武昌防衛事務次官＝当時）とされ、その後も継続されているとみられる。同様に、エネ庁の監視行為も継続されているのである。

こうした資料をもとに、行政がメディアに対し直接クレームをつけたことはないというが、もしつけていれば、それこそ直接的な憲法問題である。しかし、これを何も利用していないはずはなく、こうした資料収集はその後のメディア対応に生かされているはずである。実際、有効だと考えるからこそ、エネ庁は四年で一・三億円以上の税金を投入し、二〇一一年度においても実施したのである。なお、この監視事業は日本科学振興財団などへの外部委託によって行なわれているが、一二年度事業に関しては大手広告会社アサツー・ディー・ケイが受注しており、広告会社が報道活動を監視しながら一方でメディア企業に広告を仲介するという実態も、明らかになっている。

こうした構図は、二〇一二年の原子力行政見直しのための政府説明会においてもみられ、説明会での発言者の人選をめぐって、地元電力会社社員を選出したことに批判が集中し、三回目には選出方法を変更することを余儀なくされている。この運営主体は広告会社の博報堂で、この種の政府広報に広告会社が深く関与し、意見形成を誘導していることがわかっている。

官邸や経済産業省による、一連の原発事故や原子力行政推進に関わる情報隠蔽や情報発表の意図的な遅れに加え、国が主催する地元説明会で行なわれた、県や政府が一体となった「やらせメール」問題も、行政の情報操作の一つであるといえるだろう。原発の設置・稼働をスムーズに進めるために、住民説明会で賛成意見を述べる「さくら」を予め用意したり、組織的に賛成意見を述べるよう指示をしていたというものだ。関係者の内部告発によって、九州電力や北海道電力の事例では、こうした「工作」に地方自治体（知事）が深く関与していたことが明らかになっている。ただし当初は、やらせの事実も県の関与も強く否定し、第三者の調査委員会が設置され、やらせの事実が指摘された後も、体質や組織運営が改まったとは思えない状況が現在も続いている。

3　ジャーナリズムの加担

電力と報道の一体化

すでに政府の進める重要政策に主要メディアが取り込まれている実態の一端を示したが、それは構造的にも、そして日常の報道活動の中でも進行している。構造的な問題としては、電力会社と一体化している放送局の体質がある。すでに以前から指摘されているように、地方の放送局は株主構成上も収益のうえでも、地元電力会社によって支えられている側面が強い。

正確な数字は明らかになっていないが、電力会社全体の広告費は約一千億円程度になると推測されており、『噂の真相』元副編集長の川端幹人は、全国十一の電力会社の販促費・広告宣伝費・普及啓発費に、電事連の啓発費を合わせると、原子力・電気業界がメディアに支払う額は、年間二〇〇〇億円近くになると指摘している。もちろん、自動車業界や家電業界に比べると相対的に低い額ではある。たとえばトヨタ一社で、年間一千億円以上の広告費を支出している。しかしこれらの広告費の目的は、自社のブランド力を高め、具体的な商品たとえば自動車を売るためのものである。しかし原子力の場合は、本来の広告目的とは違うのではないか、というところに問題がある。

電力業界の原子力広報戦略を端的に示すものが、『原子力ＰＡ方策の考え方』（一九九一年三月、科学技術庁委託／日本原子力文化振興財団受託）である。ＰＡとは、パブリック・アクセプタンスであるから、原子力を国民に受け入れさせるための方策と読み替えられる。これは、「原子力ＰＡ方策委員会」が作成したもので、読売新聞社論説委員（当時、以下同じ）の中村政雄を委員長とし、委員には、田中靖政（学習院大学法学部教授）、赤間紘一（電気事業連合会広報部部長）、片山洋（三菱重工業広報宣伝部次長）、柴田裕子（三和総合研究所研究開発部主任研究員）といった人たちが参加し、オブザーバーとして松尾浩道（科学技術庁原子力局原子力調査室）、村上恭司（同庁原子力局原子力利用推進企画室）が名を連ねる（事務局＝松井正雄・日本原子力文化振興財団事務局長）。まさに新聞社の現役論説委員自身が、原子力政策推進のためのマスメディア広報の仕方などを指南する内容となっている。

活字メディアに関しては、「初めから『安全だ』といわず『危険だ』と表現し、読む気を起こさせる。そして、徐々に『だから安全なのだ』という方向にもっていく。その方が信用してもらえる。誰が考えても、原子力は危険なものだ。だから、安全装置が何重にもついている。モニターもしっかりやる。対策さえ十分なら安全に取り扱えるのではないか」、「分かり易さではマンガが第一だ。正確さを損ないがちな点には十分留意した上でマンガを活用したらよい。ストーリーの面白さがいる、『美《お》味《い》しん坊』というシリーズマンガはストーリーもあるし、料理の中身についてもよく解説している。あの手口に学びたい」などと知恵をつけている。

一方映像メディアに関しては、「テレビで討論会、対談、講座等を行う（政府提供では視聴率が悪いので工夫を要する）。まじめでおもしろい番組なら人はついてくる。原子力を、政治、国際情勢など時局に結びつけてやる方がよい。企画の善し悪しと同時にタイミングがある」、「クイズ番組に科学技術庁関連の問題を提出し、その中にエネルギー・原子力等を盛り込む。たとえば、福井テレビの〈もんじゅでクイズ〉のように」などと指摘している。

実際に、こうした提言が現場の広報に生かされたかどうか、あるいはこれらの手法が成功したかどうかはわからないが、こうした形でマスメディアと業界が一体化して、原子力行政を進めてきた構図ははっきりしている。もちろん、原子力行政とメディアのかかわりが最初から深く一体化したものであったことは、改めていうまでもない。

初代の原子力委員長は当時の読売新聞社主の正力松太郎で（一九五六年就任）、「日本の原子力の父」と呼ばれる存在であり、同年には初代の科学技術庁長官にも就任している（翌五七年には国家公安委員長を兼務し国務大臣となった）。なお現在でも、原子力委員会（下部組織を含む）の構成委員には、電力会社関係者とともに、現職の新聞社や放送局の社員が少なからず含まれている。その延長線上に、メディアを退職して、定年後に電力会社の関連団体・企業に再就職する者も少なくない現実がある。

こうした流れのなかで、放送局は、有力株主であり主要スポンサーとしての電力会社と、非常に強固な関係を築いてきたのである。電力会社の、放送メディアにおける保有株比率をみると、たとえば福岡放送は一九・七％が九州電力であり、札幌テレビ放送は北海道電力が一二・六％を占める（『日本民間放送年鑑２０１０』日本民間放送連盟）。かつては、放送局社長が電力会社出身者であった例もあった。二〇一二年段階でも、フジテレビは東電元役員を監査役として迎え、事故後も二度にわたり再任している。

もちろんこうした関係が、３・11事故直後の報道にどのような影響を及ぼしたのかはわからない。テレビのディレクターが電力会社の意向をおもんぱかって、流すべき報道を止めたとしたら、報道機関としての資格はゼロであって、即刻免許を返上すべき大問題である。しかし一般的にいって、番組や広告に影響がないとは想像しにくい。最も分かりやすい例は、政府スポンサーの番組で、過去には「ケント・ギルバートの不思議なエネルギーの話」（科学技術庁）などがあったが、通常番組の中でも「あまから問答」（テレビ朝日）など、いくつかの具体的な影響事例が報告されている（加藤久晴『原発テレビの荒野――政府・電力会社のテレビコントロール』大月書店、二〇一二、参照）。

このほか、新聞やテレビなどのマスコミが、原子力の「安全神話」の形成や原発事故報道に果たした「役割」については、すでに多くの検証と批判がなされつつある（『ＧＡＬＡＣ』『放送レポート』の一連の特集、『大震災・原発事故とメディア』大月書店、二〇一一、など）。第Ｉ部で述べてきたように、政府・東電の発表をそのまま流し続けた問題などは、「事故後」の問題というより、既存メディアの日常的な「発表ジャーナリズム」の体質そのものの問題である。あるいは、海外データや民間情報を、政府発表情報に比較して劣ったものとして扱ったり、保守系有識者を重用する傾向も、必ずしも今回の原発事故に特有のものではない。それは、既存メディアの体質そのものである。こうして、新聞・テレビが率先して政府・電力会社が「期待」する報道を流してきたと、多くの市民に疑われる状況が生まれた。

みんなで祝う「原子力の日」

福島県内で発行されている地元紙が、「原発」をどう扱ってきたかを検証することで、原発とメディアの関係を考えてみたい。県内で読まれている日刊紙としては、主に福島民報、福島民友の「県紙」のほか、隣県宮城を本拠とする河北新報と在京各紙がある。ここでは、県内最大部数の福島民報（以下、民報）を中心に、必要に応じて他紙と比較検討していく。なお、こうした報道傾向は、福島に特有のものではなく、日本全国の少なからぬ新聞社あるいは放送局に共通するものであると推察される（前出・『原発とメディア』など参照）。

東京電力福島第一原子力発電所の第一号機原子炉が臨界に達し、福島に初めて「原子の火（灯）」がともったのは、四十年以上前の一九七〇年七月である。当日の民報紙面をみると、「東北地方で初めての〝原子の火〟」、「二一世紀のエネルギー原子力発電基地として未来の日本の経済発展を支えることになる」など、当然ながら原子力発電に対する期待と賞賛の記事が目立つ（七月五日付）。さらに、県勢振興計画の〝双葉地区を日本一の原子力基地へ〟を引用して、「県や関係町、企業側は具体的に将来の計画を示し、熱意を持って住民の期待にこたえるべきだし、住民も時代に即応した意識を持つべきである」とし、原子力利用に関して新聞社としても推進の姿勢を示す。一方で、放射性廃棄物の問題をどうするか、事故が起きた場合どのように対処するかといった、原子力利用の負の側面を指摘する報道は見当たらない。

その後の流れを、一九六四年に制定された「原子力の日」（十月二十六日）の、民報の1面紙面を追うことで確認してみよう。頻繁にコラムでこの記念日を扱うほか、特集紙面を組む年も珍しくない。

原発誘致が続く七〇年代には、「安全議論が持ち上がったのには、それなりの背景があるわけだが、原子力発電を敵視する一部の風潮にはなにか、時代錯誤を覚えずにはおれない」（七三年）とし、さらに七六年には医学や農業の例を取り上げ、現代の科学が「原子力抜きでは考えられなくなっていることはもっと認識されてよい」として、科学の発展と原子力の安全利用を結びつけている。社史の索引に掲載されただけでも、おおよそ一二年に一度の割合で、推進の立場から原発関連記事を連載している（『福島民報百年史』から）。なお福島民友の場合も、原発行政の立役者である読売との資本関係もあり、賛成の立場に揺るぎはないものの、社史に見る限り関連連載の数は少ない（『福島民友新聞百年史』）。

　また、この間の民報紙面では、たとえば「安全神話」という言葉が直接的に出てくることはなく、原発の事故可能性や安全性についての検証が、どのようなかたちで行なわれたのかは見えてこない。新聞社によっては、原発推進に「社論の統一」がなされたことが明らかになって

福島民報 1972 年 10 月 26 日

福島民報 1983 年 10 月 26 日

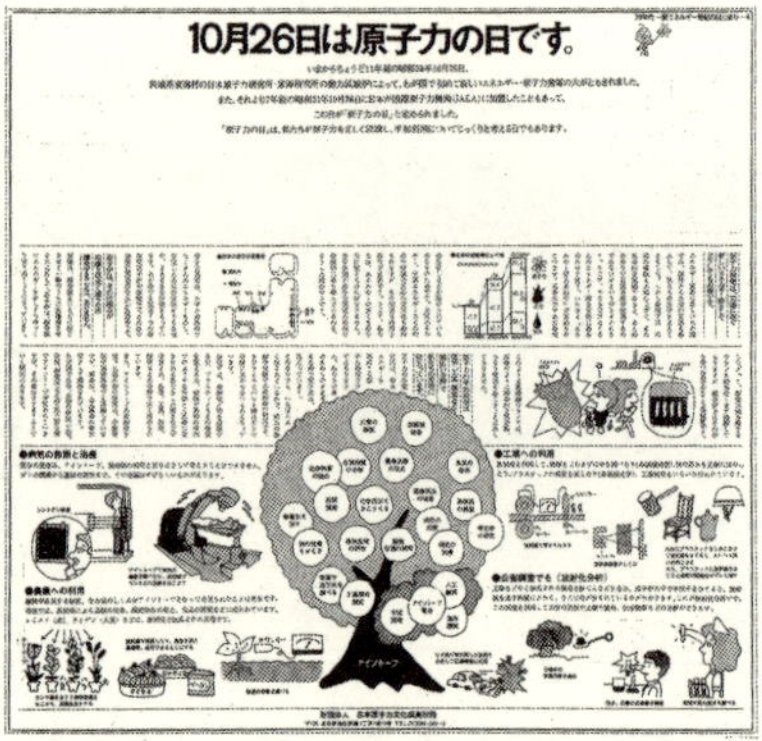

朝日新聞1974年10月26日

いるが（『朝日新聞社史　昭和戦後編』）、そのときの説明に使われたのが「イエス、バット」方針だ。原発は是（YES）だが、その問題点（BUT）もきちんと指摘していくということで、バランスをとる方針をさす。

ただし、そのバランスは大きくイエスに傾き、事実上の「推進」姿勢をとっていたことは、当時の朝日新聞に長期連載された記事「核燃料」から推察できる（七六年、翌年単行本化）。この記事は、当時の報道界で大きな話題となり、多くの社の原発取材・報道において、いわばバイブルとして活用されたといわれる。そうした報道界の雰囲気が、福島地元紙の紙面からも窺われる。

一般に原発の新聞広告は七〇年代に「解禁」されたとされるが、民報でも七四年に「原子力発電の開発について先駆的なご理解とご協力を示された地元の方々に深く感謝いたします」との政府広告が掲載され、その後は東電の「いま福島県の時代です！　福島県出身者は社員を含め約九千人、約七割を占めています」（八三年）といった、郷土愛をくすぐる広告が掲載されていく。朝日新聞でも一九七四年に、財団法人日本原子力文化振興財団によって、初めて原子力の日に原発関連の広告が掲載された。全国すべての新聞を確認しきれないものの、同様の傾向が多くの新聞に見られる。

ただし、小椋郁恵（専修大学）の調査によると、民報紙面上で原子力の日に広告掲載がなかった年が三回あるという。二〇〇二年、〇七年、そして一一年である。この三年に共通するのは、原子力発電所の事故が国内で起こった年であり、それが影響しているのではないかと推察する。いま多くの新聞紙面では、原子力行政が見直されているが、これまでの報道の結果責任についても、当然問い直す必要がある。

第6章　公文書を市民の手に

1　メディアの力

今回の震災をきっかけに判明したことの一つが、公文書管理の杜撰《ずさん》さである。杜撰というよりも、記録をとる意識の欠如と、とらないことに対する無反省、さらにはとらないことが当然であるという開き直りが、随所に見られる。こうした状況を改善すべく、二〇一一年に公文書管理法（公文書管理に関する法律、二〇〇九年成立）が施行したのだが、制度だけを作ってもいかに無駄であるかを思い知らされたわけだ（法制定までの経緯は内閣府ウエブサイト http://www8.cao.go.jp/chosei/koubun/kako_kaigi/kako_kaigi.html 参照。法施行とともに、法律施行令および「行政文書の管理に関するガイドライン」「特定歴史公文書等の保存、利用及び廃棄に関するガイドライン」が制定された）。そうであるならば、規定をより精緻化して言い逃れができないように制度上で担保を取ることが当然求められるが、それが望むべくもないならば、メディアの力を活用して公権力のありようを補正していく必要があるだろう。

監視する力

公文書を保管・利用するには、そのためのルールを決め、運用システムを整備し、それを担う人を養成し、十全な予算をつける必要がある。もちろん、一般市民との関係でいえば、保管・保存された文書は分類・整理し、市民の閲覧が可能な状況におく必要があり、ヒト・モノ・カネの各領域において、そのための環境を整備しなければならない。それをここでは「公文書管理」と総称するが、その管理をさせる力をメディアが持つ必要がある。すなわち「監視力」が必要になる。

また、公文書は一般に保存期限が定められ（ごく例外的に永久保存がありうる）、保存期限が過ぎれば、「廃棄」するか否かを判断される運命にある。何を公文書として後世に残すかは、場合によっては恣意的にならざるをえないし、その範囲は極めて流動的である。こうした性格を本来的に有しているからこそ、官の判断が正しいか誤っているかについて、外部の第三者によるチェックが可能な環境を整えるべきだし、その役割を社会的に担っているのが、まさにメディアであろう。

管理を所管することの意味は、その保存・廃棄権限を専権的に有することとほぼ同義であり、その一義的な所有権が作成官庁にあることはいうまでもない。しかし、その所有権だけでなく管理権が、作成官庁に未来永劫残ることが国益（あるいは国民益）にかなうかどうかは考える必要がある。ここではたとえば、鳩山政権下における密約事件の処理と、日米合意の締結の経緯を考えてみよう。

二〇一〇年初夏の日米基本合意によって、日本は新たに海外への基地移設経費の分担や、海外の基地整備の経費分担を行なうこととされた。沖縄基地返還時に結んだ「密約」を契機に始まった従来の「思いやり予算」は、あくまで日本国内から日本国内への基地移転や、国内の米軍基地の整備費の肩代わりであった。それを思うと、日本政府による米軍経費の、新たな肩代わりの開始ともいえる、外交方針（日米「軍事」同盟）の重要な内容変更である。

その中身の是非について、ほとんど議論されない不気味さと問題性は別に論じるが（沖縄メディアは、日本のその新たな負担増に大きな危惧を示し、問題を指摘しているが、「本土」メディアによる追及はほぼ皆無である）、少なくともここで指摘しておく必要があるのは、外交官がその交渉に際して、過去の外交文書を参考にしていないのではないか、という点である。なぜなら、前述したとおり、この思いやり予算の端緒は、沖縄返還時のいくつかの「密約」にあったわけだが、外務省に設置された外部調査委員会の報告によると、それら外交経緯を記した交渉メモや密約文書の原義（原文）もしくはコピーは、そもそも存在しないか、もしくは廃棄された可能性が高いという（二〇一〇年六月四日発表の外務省「外交文書の欠落問題に関する調査委員会」調査報告書）。

一般市民の情報開示の対象にならないだけでなく、外交担当官が過去の経緯を知る術《すべ》も持たずに、いわば丸腰で交渉に臨んでいるという事実に、一国民として暗澹とせざるをえない。アメリカ側の文書は、一般の情報公開対象文書として存在し、またそれを前提に権益の拡大を狙って交渉をしているのに対し、あまりにお粗末な状況であるというほかない。こうしたことを許さないためには、制度としての環境整備とともに、メディアの監視力に期待するほかない。情報を持たない無知な外交官は負けるのであって、しかしだからといって個人芸に頼った外交ほど無惨なものはないだろう。

実際には、国家利益という意味で使用される「国益」を判断基準に考えた場合、公文書を意図的に隠すことや廃棄すること、さらには文書を捏造することすら、時によっては「国益」といえる可能性もある。事実、政治家や官僚は少なくとも建て前上、「国益」のためにそのような行動をとると考えられている。またメディアも、過去の戦争の時にはまさに国家と一体となって、「国益」と称するもののために真実を隠し、国家の戦争遂行に都合のよい情報のみを流すという愚を犯してきた。

今日においても、二〇〇三年のイラク戦争におけるアメリカのメディア状況などを見るにつけ、大量破壊兵器の扱いなどで、同じ「過ち」を繰り返したことがわかる。だからこそ、メディアが国家のいう「国益」とどこまで一線を画し、客観的に公文書を扱えるかが問われるのである。とりわけ、一般国民の「空気」に反し、冷静に、時には冷酷に、戦争や外交にかかわる「事実」を語ることがいかに困難であるかは、すでに多くのジャーナリストが語ってきた（たとえば、『新聞と戦争』朝日新聞出版、二〇〇八）。

国家の発表と異なる事実を知った時に、たとえば戦場で闘っている自分の肉親を裏切るような事実を明らかにできるかどうか、まさに「味方の後ろから銃を向ける」ような行為ができるかどうかの問題である。だからこそ、そうした「別の事実」をきちんと公文書に記録すること、そしてその記録された公文書をもって事実を語る行為が、社会のために不可欠なのである。

活用する力

公文書は溜めることが目的ではない。それらは、あくまで使ってこそ意味がある。ちょうど情報公開制度が手段であって目的ではないのと同様、公文書管理も、あくまでも公文書を一般市民が使うための環境整備であり、その市民を代表してメディアが率先して使うことが求められている。ここで必要になるのは、すなわち「活用力」である。

しかし一方で、行政内部文書ははじめから「市民向け」に作られているものではない。もちろん今後は徐々に、作成段階においても「公開」を意識した、わかりやすい文書作成が期待されるが、そのために正確さや詳細さが犠牲になるとすれば、本末転倒である。あくまでも、行政内部の業務のために作成した文書が、結果として市民に広く公開され、利用されることが大事なのである。

実際、公文書管理法によると、当初は私的メモとして作成された文書であっても、時の経過によって「公文書」に性格が変わるものがあることが定められた。こうしたもっぱら内部向けに作成された文書は、当然のことながら一般市民にとっては大変分かりづらい代物《しろもの》である。そうなるとますます、文書を読み解く力が求められることになる。だからこそ、メディアの伝える力が重要になってくるのである。

新聞や放送などのジャーナリズム活動をとらえて、「調査報道」こそが命だ、といわれることが多い。その意味は一般に、官公庁や企業の発表をもとに報道する「発表ジャーナリズム」ではなく、独自の取材ネタをもとに報道することをさす。だから、ここでいう調査報道の中身がまた、公文書管理と切っても切れない関係にあるといえる。なぜなら、一見無表情に見える文書や資料を有機的に組み合わせ、マッチングさせることによって、その公文書の意味を初めて正確に推し量ることができるからである。文書・資料が必要最小限度整理され、開示の手続きにのらないことには、調査報道を裏付ける「証拠」がヤミに隠れたままになってしまう。その意味で公文書管理は、調査報道の少なくとも一つの重要なファクターであり、報道を支える環境である。

情報公開制度と調査報道の関係を考える際、公開されていない情報を、調査報道によって白日のもとに明らかにするという意味でいえば、調査報道は情報公開制度を補うものであったり、あるいは情報公開制度を超えるものであるといえる。さらにいえば、情報公開制度があろうとなかろうと、調査報道は成立するし、むしろ直接の関係はないといえるかもしれない。もちろんそうはいっても、調査報道のために情報公開制度が役立つことは少なくない。これまでに紙面化されたものの中にも、数多くの情報公開制度を活用した例があることはいうまでもない（たとえば、地方自治体や首長の公費無駄使い追及キャンペーンなど）。

しかし、公文書管理と調査報道の関係は、もう少し濃密なものであるともいえよう。なぜなら、調査報道を行なう際のまさに「証拠」が、公文書だからである。もちろん、取材結果には数多くの伝聞証拠もあろう。しかし決め手になるのは、警察の捜査でもメディアによる追及でも「物的証拠（物証）」であり、公的機関が所有する物証の多くは、その機関が作成し保有する文書類であることが一般的だからだ。公文書がきちんと（あるいは少なくとも廃棄されずに）残っていることが、調査報道の強力な味方になることはまちがいないのであり、その意味で公文書と調査報道は切っても切れない関係にある。

探究する力

公文書の管理者は必然的に公的機関であって、それは公権力と言い換えることも可能である。それゆえ、公文書は往々にして隠蔽され、時に破棄され、その公開の範囲が狭まったりもする。だからこそ、市民の力でその範囲を広げていく努力を続けなくてはならない。それは同時に、公文書とされていないものに、どのような文書があるかを知ることでもある。その時問題になるのが、すなわち「探求力」、知る力である。

もう一つ注意すべきことは、国家が組織ぐるみで確信的に「嘘」をつくとき、それは犯罪にならない可能性があるということだ。たとえば、一人の官僚がある文書を意図的に破棄したとする。それは一般的に公文書管理法に即して、あるいは刑法や公務員法によって刑事罰を受けることになるはずである。

しかし一方で、二〇〇九年にその嘘が白日のもとに晒された、沖縄返還に伴ういくつかの密約について、政府高官もしくは時の為政者が「密約はない」といったことが刑事罰の対象かといえば、それを罪に問うことはなかなか難しかろう（もちろん、吉野文六・元アメリカ局長などの国会もしくは裁判所での偽証を問うことは可能であるし、すべきであったと思う）。だからこそ、その問題を問うのは、メディアの重要な役割なのである。

その意味では、公文書に書かれていないこと、あるいは保存されていない（破棄された）公文書に書かれていたであろうことを想像し、オリジナルを推量し、さらにいえば当時の正確な状況を推測することが求められる。そうした作業ができる、あるいは期待されている者が、ジャーナリストであることは疑いようもない。そうした「知る力」は、経験と努力によって初めて具わるものだろう。

しかも往々にして、こうした追及には手間がかかる。一般市民は仮にその気持ちがあったとしても、実際に実行するだけの時間的・金銭的余裕がない。大事なのは、追及が気まぐれや思いつきではなく、特定領域のみに偏ったものではないことである。継続的あるいは定期的に、公的機関の行為を広い範囲にわたって丹念に調べる必要があるのだ。そうしないことには、総体としての国家の「犯罪」は暴けないし、そもそもその前提として、国家の行なった行為を正確に把握し伝えることすらできないのである。

もう一つ、公文書の性質として重要なことは、それがある種の「事実」を記録したものであることはまちがいないものの、必ずしも「真実」をあらわすものではないということである。なぜなら、たとえば外交交渉におけるメモなどは、当然自国の立場に立って作られているし、その意味で都合の悪いことは記録されないことも十分にありうる。あるいはもっと卑近な例として、自分のあるいは上司のミスは抹消したいので、記録に残さないことも考えられる。

したがって、真実追及のためには、残されなかったものを探ることが必要になるのである。あるいは少なくとも、交渉記録などについていえば、相手方の公文書とつき合わせて、どちらが本当に近いことを書いているのか、その時の「真実」は何かを追及することが求められる。もちろん、こうした行為を国がやることは、まずあり得ない。まさにこれこそが、メディアの役割であるといえる。

継承する力

公文書とメディアに共通する役割として、事実を確定し、後世に伝えるという歴史的使命がある。一般には、文書として、あるいはテープや電磁的記録として、行政の行為を記録したものが公文書であって、それは「誰が何を言ったのか」、「何をしたのか」を、後世、客観的に検証する素材となる。同じことはメディアにもいえるのであって、記録性はメディアの重要な特性である。これはいわば「記録力」である。

いかなる時代においても、伝承・継承する力が社会には必要である。それは私たち人類の進歩の証しであり、そのためには、先達に学び歴史の教訓を得ることが不可欠になる。それなしには、私たち一人ひとりの人格的発達も望めないし、国家レベルでの外交も内政もできないであろう。政治は、歴史に学び歴史を作ることが求められるのであって、「記録すること」は、そうした日々の作業の積み重ねの継承である。その記録することのプレッシャーを、メディアは官に与え続けていかなくてはならない。

さらにまた、記録（継承）が適切に行なわれなかった場合に、その事実を広く公表（報道）し、是正を求めていくことも、メディアが負う役割の一つであろう。近年の事例でいえば、厚生労働省東北厚生局が公文書（医療専門学校に対する実地調査結果）の一部を改竄し、記述を削除していた事実が明らかになった（毎日新聞二〇一〇年六月十一日付朝刊）。この場合、その事実がメディアに取り上げられることによって、水面下で処理することができなくなり、原因追及や事態の是正につながった。

外務省の「沖縄密約」問題においても同様の傾向がみられ、問題点がメディアによって指摘され社会問題化するに至って、ようやく政府は重い腰を上げた。もちろんその背景には、公務員の無謬神話や、自己組織の保身の論理などがあるのだが、それだからこそ、外部からのプレッシャーが必要なのである。

従来は、メディアの中でもとりわけ新聞がその役割を担ってきたが、それは新聞のもつ取材力と記事内容の信頼性によるものであった。もちろん、いまでは新聞をはるかに上回る情報量が、テレビなどの放送を通じてわれわれにもたらされているが、残念ながら、そうした放送媒体で流された情報の多くは蓄積・保存されることなく、まさに文字どおり、「送りっ放し」メディアであった。

ここ二、三年、ようやく放送アーカイブが機能し始めてきたものの、全量記録には至っていないし、また過去の番組にアクセスすることは、一般視聴者にとってそう容易なことではない。さらにまた、テレビ誕生から六〇年しか経っていないという時間的制約も存在し、たとえば戦前戦中のテレビ映像は物理的に存在しない（記録映画などの映像は部分的に残っている）。少なくともこれまでは、記録という点では大きく活字に拠ってきたということができる。

しかし時代は移り、これからはますます豊富なデータが、映像記録として残されるに違いない。映像メディアが伝える番組の正確性や信頼性は、すでに高い評価を受けている。同時に、公文書と呼ばれるものも、従来の紙メディアだけでなく、音声や映像メディアが当然増加してくるだろうし、それらをすべて包含する「デジタルデータ」として保存・保管される時代がやってきている。これらはまさに、公文書におけるメディア（記録媒体）の変化でもある。

もちろん記録媒体が活字であろうと映像・音声であろうと、本質的な違いはない。ただしここで注意が必要なのは、前述した「信頼性」の問題である。それはデジタル化によって、とりわけ問題となる可能性を秘めている。なぜなら、オリジナルの公文書が改竄された場合、従来の紙文書ならその痕跡をとどめることがあっても、デジタルであればなんら改竄の痕跡を残さずに、新たな「公文書」を作成することができるからだ。

もちろん、そうした改竄がなされないよう、公文書管理における制度的・技術的な歯止めを作ることが大切であるが、同時に新聞やテレビの記事や番組のアーカイブが、そうした歴史の「書き換え」を抑止し、あるがままの事実の継承につながることを期待したい。そうした総合的な記録が、メディアの社会的役割であろう。

2　メディアが役割を果たすための条件

右に掲げたようなメディアの役割を果たすためには、いくつかの条件が必要となる。それらを以下で考察する。またあわせて、それと呼応する制度上の課題についても触れておきたい。

好奇心と想像力

まずメディアに期待されるのは、好奇心と行動力である。独特の嗅覚によって秘密を探り当て、それを白日の下に晒す「取材力」が求められている。それは、第一線記者の日頃からの地道な情報収集と、その蓄積から生まれるだろう。集めた（あるいは集まってきた）情報はごまんとあるわけで、その中から使える（あるいは使えそうな）情報を選別する力が求められる。

そうした玉石混交の情報を整理・分析する能力は、一線記者だけでなく、むしろデスクと呼ばれる、取材を差配し記事や番組を実際に形成していくベテラン記者に、いっそう求められるものであろう。こうした取材力が、先に述べた四つの力の基礎になるのである。

また同時に、さまざまな分野における「専門性」が求められる。もちろん、記者に専門的知識が具わっていることがベストだが、限られた数の記者があらゆる分野の専門家になることは物理的に不可能である。そこで、そうした専門家とのネットワークが重要になるのであって、場合によっては個人を超えた組織力が試されることにもなろう。

その意味で、公文書を取り扱うことを業とするアーキビスト（Archivist）と、ジャーナリストは共通項が多い。アーキビストは、従来の図書館司書（ライブラリアン）や博物館学芸員（キュレータ）の担当分野と多少の重なりを持ちつつも、本来的には、情報の価値判断を的確に行ない、整理、保存とともに、その活用を実行するといった情報の「水先案内人」といってよかろう。そうしたアーキビストの必要十分条件のうち、少なくともジャーナリストの条件と共通するのは、十全な歴史観を具え、客観的に物事を捉えることができ、しかも世の中の動きに敏感であることであろう。長いスパンの中で、目の前の出来事の価値を正確に判断するためには、法・社会的な制度の理解とともに、日頃から歴史的知識と職業的勘《カン》を鍛えることが必要である。勘頼りで仕事をしてはいけないという批判はあるだろうが、すべての書類を残すことができない以上、何が大切かを見抜く眼力は、まさに職業的勘と称してもよいものであろう。

沖縄集団自決や従軍慰安婦の問題を考えてみよう。軍命はないので国家としての組織的関与はない、というのが従来の政府見解である。確かに「確たる物証」という観点からいえば、そういう結論の出し方にも一理はある。しかしメディアは、そうした物証を超えた「証拠」を示そうと努力している。それがたとえば、体験者の証言といった「状況証拠」である。こうした証拠の積み重ねによって、「記録」がなくとも「事実」を認定する作業が、メディアの役割であるともいえよう。それは、まさに記録の「意図的な」欠如を補う、極めて有力な方法でもある。

先に述べたように、秘匿性が高いほど「記録」は残らないものである。それを隠したいという力が働くほど「記録」は破棄されるものである。そうであるならば、あるいはそういう性格をもつのが行政文書や公文書であるとするならば、その欠落を埋める作業を誰かがしないことには、歴史は存在しない。それは同時に、真実が闇に埋もれることにもなるであろう。こうした、歴史に残るか否かというプレッシャーこそが、公権力の不正を押し止める力になりうるのである。それはまさに、情報公開の精神と一致するものである。

文書の分類からすると、「非」現用文書などと呼ばれる作成時期が古い文書は、いかにも死蔵文書のように思えるし、実際にその多くは歴史的な文書という位置づけである（法令上も「歴史文書」と呼ばれることがある）。しかし、死んだように見える（眠っている）文書も、ある時それを手にした人によって息を吹き返し、雄弁に語り出す場合があるのだ。文書にそうした命を吹き込むには、一定の知識を持ち、訓練を経ている必要がある。それがまさにアーキビストでありメディアなのだ。

ジャーナリズム活動の基本は、対象領域にかかわる可能な限り豊富で正確な知識と、収集した情報を客観視できる能力にある。さらに、そうした分析力を裏打ちするのが、幅広い教養であり歴史観であって、これらがジャーナリストにとっての必要条件であり、記録を読み解く力になる。

いくつかの阻害要因

メディアがそうした役割を発揮することを、阻害する要因があることも事実だ。それは、公文書管理法を含む現行の情報公開制度が抱える制度的な欠陥である。

その第一は、守秘義務をめぐる壁だ。メディアが力を発揮するためには、守秘義務が大きな壁になることが少なくない。国家公務員法をはじめとする公務員法一般の守秘義務のほか、刑事訴訟法などにおいても昨今、守秘義務規定が新設・強化されており、最高裁が判例で示す「正当な業務行為としての取材」自体が、難しくなってきている。

また守秘義務とは別の規定であるが、個人情報保護法ができたことを理由にして、行政機関が事件当事者の情報提供を拒むといった、法の趣旨をとりちがえた「過剰反応」による情報隠しがある。あるいは、住民基本台帳法の改正などによって、記者が住民票の閲覧をすることが制限されるようになったことも、メディアによる事実の検証を阻む壁になっている。すなわち、広い意味での公文書の検証や記録性の担保のためには、メディアの日常的な取材が許容される必要があるが、その足元が揺らいでいるのである。

第二には、意思形成過程情報の隠蔽がある。もちろん、制度があろうとなかろうと、途中経過の情報を取ってくるのがメディアの取材であるが、現実には秘密会議が横行している。行政サービスの一環として、記者会見のオープン化や会議のネット生中継が始まり、一見会議の透明化が進捗しているように見えるが、それは「当たり障りのない」ところを公開する、情報隠しのごまかしである可能性が高い。

しかも、情報公開制度を逆手にとって、本来であればメディア（あるいは一般市民）から開示請求がなくても積極的に提供すべき情報だったり、請求があった段階で進んで提供してもよい文書を、あえて開示の手続きを踏ませるよう仕向ける例もみられる。これなどは、完全に情報公開制度の履き違えであって、さらにいえば、情報公開の理念が公的情報は国民のものであるということを、まったく無視した態度といわざるをえない。制度利用の強要は、公開のタイミングをずらすこと、時の利益を損い、かつ金銭的支出を強いることで、公文書へのアクセスを実質的に妨害する行為だからだ。こうした、とりようによっては行政の「意地悪」の最たる例が、会議情報の扱いである。まだ結論が出る前の検討段階の場合が多いことから、意思決定過程情報と呼ばれたりもするが、非公開・記録なしの会議がまだまだ多いし、重要な会議ほどそうした措置が取られることが少なくない。

起案や決済文書は記録に残りやすい。一方、重要な交渉メモなどは私文書扱いで残りにくい。ただし公文書管理法では、「偶然」残ったメモについて、私文書ではなく公文書に性格が転換することを規定した。これによって、市民が後世、メモを目にする可能性が生まれたわけだが、そうしたことをふまえて、メディアがその時期に「メモが存在する可能性」を報じておくことが必要になる。

情報公開制度の底上げ

これらとともに、情報公開制度を総体として底上げする必要がある。この制度構築はまだ始まって二十年あまりで、国レベルで情報公開がきちんと位置づけられ制度運用されてからでも、わずか十年ほどしか経っていない。実際にはまだ穴だらけの状況である。その穴を埋める作業の一つが、公文書管理のための法整備であるが、それ以外にも数多くの課題がある。

制度上の解決すべき課題としては、対象機関の拡大があり、裁判所や国会に広げる必要がある。知る権利の明示によって、より具体的に権利性をはっきりさせ、政府のゴネ得を許さないようにするほか、適用除外の限定化も課題だ。個人が識別されると非開示になってしまう現行制度を悪用して、行政の悪事が闇の中に隠れてしまう事例があとを絶たない。あるいは、「相当の理由」という理由付けを裁判所が広く認めて、非開示の範囲が無限定に拡大してしまっている問題もある。これらの問題の多くは、すでに政府の研究会でも指摘されているのである（「『情報公開制度の改正の方向性について』に関する論点整理」二〇一〇年六月二十三日）。

本来は、情報公開法と同時もしくは先行して定められるべき文書規定が、十分に整備されていない問題については、すでに多くの指摘がある。沖縄密約文書の破棄も、文書管理規定が存在しなかったがための、制度の不備による「悲劇」といえるだろう。しかも、その穴を埋める公文書管理法がやっとできたにもかかわらず、相変わらず文書の不存在という名の喪失が続いている現実がある。

まさに、震災後に明らかになった対応機関の文書不存在や、それ以前の問題ともいえる、記録をとる意識の欠如は、こうした問題がいまも日常的に発生していることを如実に示している。だからこそもう一度改めて、すべての行政機関の業務記録を残すこと、会議の議事録を作成すること、連絡文書の中には業務上のすべての手書きメモやメールが原則として含まれることを確認する必要がある。そのほか、ツイッターやブログといったインターネット上の情報を、どのように位置づけるかも考えなくてはなるまい。そうすることによって、喪失文書を少しでも減らすことができるであろう。

また運用上の問題としては、開示手続きの期限の設定や（現在は事実上、無期限に先延ばしされる事例もある）、不開示理由を明らかにすること（現在は理由なしで門前払いされている）、審査会委員の構成をどうするかなどがある。委員が政府の意向で決められてしまっては、せっかくの第三者性が意味を持たない。多くの政府審議会がそうであるように、外部有識者による専門家組織であることを隠れ蓑に、政・官・業優先の政策が成立している実態がある。公職の選任方法については、より透明性・客観性が担保された方法に変更する必要がある（日隅一雄編訳・青山貞一監修『審議会革命——英国の公職任命コミッショナー制度に学ぶ』現代書館、二〇〇九、参照）。

さらにまた、詳細な索引をつけ非開示の内容を審理しやすくする方法（ボーン・インデックス手続き）をより厳格に適用したり、裁判官が、一般には非公開審理で行政が隠すだけの価値がある情報かどうかを判断する方式（インカメラ審理手続き）の導入が課題となっている。このほか、申請・公開手続きの改善（電子申請・公開の本格導入、申請手数料の無料化など）や、公益公開請求制度の拡大（多くの人にとって公開情報が役立つ場合など、具体的にはメディアが報道目的で請求する場合は手数料を免除する制度の導入など）も、議論を具体化させる必要がある。

先に触れたように、文書管理規定と情報公開法は車の両輪である。そこでは、国民共有の知的資源としての公文書をどのようにきちんと残すか、そしてそれを市民に対し、いかにきちんと開示し、説明責任を果たすかが問われている。これらは、透明性ある開かれた政府を実現し、市民が主役の社会を具体的に保障するための、法制度上の工夫である。

メディアは、市民が主役の社会を実現するために、ある種の社会的機能として存在している。すなわち、広義の情報公開制度とメディアの存在もまた、車の両輪であると考えられる。この双方がバランスよく、順調に動いている限り、公的機関の透明性は確保され、市民の監視の目が機能するのである。その意味で、公文書管理とメディアは、今日の民主主義の基盤をなすものである。

第７章　緊急事態という強権

今回の震災を通じて、緊急時の情報流通に果たす政府の役割が問われている。国家的危機が招来した際の、社会（国家）における流通情報の中身、そして流し方は重い課題だ。一般には、政府は情報を統制（コントロール）することで、社会の安定と国民の安全を図り、国家（国体）の維持をめざすのが常である。これまでであれば、ここで政府の統制の対象となるメディアは、主としてマスメディアと称される新聞や雑誌、テレビやラジオであった。しかし、今回の東日本大震災では、市民への影響力の増大から、新たにインターネットメディアがコントロールの射程に入ってくるようになった。

そこでは、個人発信が原則のソーシャルメディアも例外ではなく、より広範に市民の表現行為全般が強い統制の網にかかることになる。また一方で、ジャーナリズムの立場からは、国難に際しその報道目的、判断基準は何かという問題がある。それは、真実追求・事実報道と、国益優先報道の相克でもある。

1　発信された政府要請

文書による政府指示

震災発生から約三週間後、政府は情報流通に関わる要請を文書で行なった。一つは放送番組に関するもので「東北地方太平洋沖地震による災害に係る情報提供に関する日本放送協会及び社団法人日本民間放送連盟に対する要請」（二〇一一年四月一日、総務省）、もう一つはネット情報に関するもので「東日本大震災に係るインターネット上の流言飛語への適切な対応に関する電気通信事業者関係団体に対する要請」（二〇一一年四月六日、総務省総合通信基盤局）である。

放送局向け要請は、「総務省は……放送法第六条の二（現・放送法一〇八条＝筆者注）の趣旨に鑑み、正確かつきめ細かな情報を国民に迅速に提供されるよう要請しました」で始まる一文であり、

①安否情報、生活関連情報についての正確かつきめ細かな情報提供

②データ放送やインターネットを通じた情報提供の充実

③被災地住民の立場に立った取材・報道

④視聴覚障がい者や外国人に対する情報提供への配慮

の四項目を具体的に挙げている。

この中で、①についてはさらに詳細に以下のように述べる。

・被災者の避難情報を含む安否情報の充実及び継続した提供

・できる限り多くの被災地域の情報を、偏りなくとりあげるかたちでの情報提供

・地方公共団体の災害対策への取組みなどを含む、被災地住民の防災及び生活の安定に必要な情報のより詳細かつ具体的な提供
・買い占め防止など、冷静な判断に基づく行動の呼びかけにつながる情報提供
・原子力発電所の状況や計画停電等に関する情報提供など
また③については以下を求めている。
・被災地住民の感情に配慮した取材方法の採用
・各方面からの支援の紹介（義援金の取組みなどを含む）など、被災者の励みや市民の安心になる各種情報の提供など

法に基づき、具体的な放送番組内容について、事前に文書で要請を行なうことは極めてまれである。しかもその内容は、安心・安全情報を積極的に放送することを求めており、これらは明らかに行政機関による、報道機関に対する報道牽制といえるものである。

これは二つの大きな意味をもつ。一つはまぎれもなく、いざとなれば政府は、これらのメディアを法に基づき情報コントロール下に置くことができるということを、再確認させたことである。実際には現場において拘束力はなかったとの「反論」も聞かれるし、それはある程度事実であると信じたいが、一方では、その要請内容を十分に満たすだけの「報道自制」がなされていたということでもあろう。これらのメディアは政府に対して、日常的に極めて「物分かりのよい」態度をとり続けており、それは長年の行政指導の結果でもあるからだ。

もう一つは、要請の内容は極めて具体的であって、実際の報道内容が大きく影響を受けうるレベルである。従来もメディアに対する法に基づく要請としては、ＮＨＫに対する要請放送（旧・命令放

送）があり、北朝鮮拉致問題といった政治的な現在進行形の事項について、積極的に報道することを求めていた。同様に、日本ではほかにも、メディアへの内容上の要請を政府が行なえる仕組みが存在している。先の例は、こうした制度に基づく締め付けをするうえで、「よき先例」になったわけだ。

最初に挙げた二つのうち、ネット向けの要請は、「東日本大震災に係るインターネット上の流言飛語について、各団体所属の電気通信事業者等が表現の自由に配慮しつつ適切に対応するよう、周知及び必要な措置を講じることを要請しました」で始まる。そして「被災地等における安全・安心の確保対策ワーキングチーム」における「被災地等における安全・安心の確保対策」に基づき、デマ情報の削除要請がその内容となっている。

要請は、電気通信事業者協会、テレコムサービス協会、日本インターネットプロバイダー協会および日本ケーブルテレビ連盟に対して行なわれた。たとえば、日本インターネットプロバイダー協会（ＪＡＩＰＡ）は四月六日付けで、「東日本大震災に関連し、インターネット利用者の皆様へのお願い～ネットの〈デマ〉について、気をつけたいこと～」をウエブ（www.jaipa.or.jp）上に掲載している。その後、実際に削除事例（たとえば遺体写真など）がネット上で報告されるなど、議論を呼んだ。これは政府と業界団体の緊密な協力体制のもとでの自主規制であり、プロバイダー事業者を通じた表現の過度な規制という面を色濃くもつ。

こうした要請が間髪をおかず発信され、実態としてその内容がきちんと守られる社会は、ある意味で制度が完備した社会であるし、成熟した社会であるともいえるだろう。しかし一方で、国難に際し、国家が一致して国益を守る報道をさせることの危うさを含んでおり、国の安全を守るために情報のコントロール権を国家に預けることの危険性がある。今回は震災デマ情報の規制要請であったが、それにとどまらず、政府は都合の悪い情報を規制すべく要請を行ない、新たな法律による規制を予定している。

震災前の具体的事例でいえば、ウィキリークスによる米国外交機密文書のネット公開や、警視庁公安情報の漏洩（二〇一一年十一月現在、進行中の裁判においても警視庁は情報の漏洩を認めていない）、尖閣列島沖衝突ビデオのネット流出などを受け、政府は情報の外部流出を防ぐための国家秘密法（秘密保全法）の新設を企図している。もちろん震災・原発事故で起きている事態は、政府からの情報漏洩ではなく、まったく逆の情報隠しであるが、しかし政府による情報の一元化という点では、問題の本質は変わらない。

「予防」という名の統制

さらにより大きな観点から眺めるならば、今回の震災を機に「予防」の重要性が語られることが多くなった。津波発生時にいかに避難するかといった、ハード（防潮堤など）とソフト（避難訓練など）の組み合わせによる減災のための取り組みも、その一つであろう。こうした対策そのものは積極的に推進すべきであるが、こと表現の自由の観点からは、予防の考え方には危険が潜んでいる。それは、「予防」の名のもとに今日、「監視」が強化されている状況があるからである。

しかもそれは、デジタル・ネットワーク化の中で急速に浸透かつ強化されている。単なる切符のプリペイドカード機能を越えて、生活のあらゆるシーンで電子マネーとして活用される交通系ＩＣチップ（スイカなど）も、生活の安全を求めて設置される街角の監視カメラも、私たちの個人情報を膨大にしかも網羅的に収集・集積し、その結果それが利用される状況が拡大している。

それはたとえば、ショッピングの際のリコメンド（推薦）情報を期待する現状とも重なる。オンライン書店で本を買えば、好みの本が「ほぼまちがいなく」案内されてくるが、その裏で個人の行動記録が活用されていることを、さして気にしない風潮がある。そうした効率化や利便性、安心・安全思考が、本来であればデジタル・ネットワーク化によって実現するはずの、市民が真の主権者になるはずの情報化社会の実現を、遠ざけている側面がある。

情報公開制度とインターネット技術の組み合わせによって、私たちは一方的な情報の流れを変え、政府や一部の大企業が情報を集中的に支配している現状を打ち破り、市民社会での情報共有が進み、新しい民主主義社会が実現することを期待していた。しかしいま、情報の流れの双方向性や情報公開制度の拡充が進む中で、情報の共有化や情報流通の主体を、市民一人ひとりが獲得するという点では、逆の流れが急速に進んでいるのではないかとさえ思われる。その渦の中で、ジャーナリズム活動もまた、「自由」を失う可能性を感じさせる。

この間の動きを敷衍《ふえん》して、近年の言論の自由への脅威をみると、いくつかのパターンに分類することができる。第一は、管理国家指向の「お国のため」規制で、秘密保全法制の新設などが企図されている。第二は、行政権の拡大による「みんなのため」規制で、市民の声を受ける形で安心・安全や生活の平穏、場合によっては効率化などを旗印にした、たとえば新型インフルエンザ対処法などが当てはまるだろう。そして第三は、公権力の権威維持をはかる「メンツのため」規制で、刑法の秘密漏洩罪を初めて適用して、出版社への情報提供者を捕まえたり、取材時の録音テープの証拠提出を求めたりする例がある（藤森研はこうした表現の自由への介入状況を、軍事的規制、市民的規制、草の根言論抑圧、管理主義的規制、権威主義的規制に分類している〈「時代の閉塞とメディア規制」『総合ジャーナリズム研究』

二〇一二年夏号〉)。

そのほかに第四として、裁判所が行政による表現行為の規制を容認することでさらに規制が進むという、規制の拡大スパイラルがみられる。最高裁は一般論では表現の自由は大切といいつつも、具体的事例に即しては、君が代斉唱時に不起立の教師を罰することや、アパートの郵便受けにチラシを投函する者を住居侵入罪で捕まえることを、「問題なし」とすることで、結果として教育委員会や警察の行為を追認している。それは、同様の表現行為を犯罪として認識させるという効果を生んでいる。

そして第五に、いわゆるネトウヨ（ネット右翼）や在特会（在日特権を許さない市民の会）など民族系市民団体（新右翼）の、いわば草の根ファシズムの力が急速に増大している問題がある。これは、ある意味では「少数派」の意思の発露であって、彼らの表現の自由を守るという面では、活動を容認すべきであるが、実際は彼らの活動が、攻撃の対象である集団（たとえば在日コリアン）の意見表明の自由を著しく制約する結果を生んでいる。

東日本大震災は、日本のメディア政策の見直しを迫るものである。３・11以後においては、効率性や利便性のみを優先することなく、かつ一律・包括的・直截的な情報コントロールを受けにくいメディア環境を、整備していくことが求められている。そうしなければ、「国難」という言葉ですべてが許され、予防という名のより厳しい統制が進むことになる危険性がある。

たとえば震災時の緊急放送においては、より迅速な避難を呼びかけるために、行政の避難指示を一刻も早くそのまま伝える放送も、一つの選択肢に見える。実際、地震警報（地震が起こる前の警報放送）や直後の速報は、自動化もしくはほぼ自動化され、間髪をおかず、メディアの判断の余地なく「そのまま」放送することになっている。避難放送も、これと同様でよいのではないかという考え方である。

しかし今回の教訓として、政府の放射能汚染に関する避難指示が、誤った情報に基づく誤った判断であったことが判明した。もちろん、その時点で、メディアが事実（もしくは正しい情報）を把握することはできないかもしれない。それでも、いったんは「独自の判断」をすることを、制度上で担保しておくことが重要であろう。それなしに「そのまま」放送することは、最善の予防ではないことを知っておかなければならない。それは、ニュースのネット配信を進める新聞をはじめとする紙媒体にも、そのままあてはまる。

2　有事の情報伝達義務

政府発表を放送する義務

日本には、自然災害や大規模事故などが起きた際、情報伝達（報道を含む）について規定した法律群が存在する。これらの法律は「指定公共機関」を定めており、国や地方自治体は、このような報道機関に対し特定の情報伝達を求めることができる。直接、一般市民を縛るものではないものの、メディアを通して伝えられる情報に大きな影響を与えうる制度であって、その仕組みについて関心を持つ必要がある。

有事法体系のうち、情報伝達に関わりがある規定をもつのは、武力攻撃事態対処法（武力攻撃事態等における我が国の平和と独立並びに国及び国民の安全の確保に関する法律、二〇〇三年）、武力攻撃事態施設利用法（武力攻撃事態等における特定公共施設等の利用に関する法律、二〇〇四年）と、国民保護法

（武力攻撃事態等における国民の保護のための措置に関する法律、二〇〇三年施行）の三つである。なお、施設利用法一七条・一八条では、「電波の利用指針」について定めており、大臣は電波法に基づいて放送免許の条件を変更できることになっている。これは、有事になった場合、政府が放送局の改廃が可能なことを意味する。

これらの法律では、国や自治体が「国民に対し、正確な情報を、適時に、かつ適切な方法で提供しなければならない」と定めるとともに、そうした行政機関とともに指定公共機関は、「国民の保護のための措置に関する情報については、新聞、放送、インターネットその他の適切な方法により、迅速に国民に提供するよう努めなければならない」としている。

この規定によって、指定を受けた報道機関は、政府の発表情報を報道する義務を負うことになった。そして、ＮＨＫほか主たる民放テレビ・ラジオ局が指定を受け、放送の努力義務が定められたのである。また同時に指定公共機関は、業務計画を事前に作成し、総理大臣（もしくは知事）に提出することを求められ、ＮＨＫを含む放送局はそれぞれ国民保護業務計画を法制定時に策定し、自社ウエブサイトなどで公表している。

たとえばＮＨＫは、「有事の際の指定公共機関として、警報、避難の指示（警報の解除、避難の指示の解除を含む）、緊急通報の三つの緊急情報を放送する責務を負うことになりました」として、二〇〇六年二月二十八日付けで、日本放送協会国民保護業務計画を制定している。その中で警報放送については、「都道府県知事から、避難の指示もしくはその解除または緊急通報の通知を受けたときは、速やかに、その内容を当該都道府県の区域向けに放送するとともに、必要に応じその他の区域向けまたは全国向けに放送する。ただし、当該通知を受けた避難の指示の内容は、視聴者に迅速かつ的確に伝達されるよう、その正確性を損なわない範囲で、要約し、またはその表現を変更しもしくは簡潔にして、放送することを妨げない」とする。あえてうがった見方をすると、原則は「そのまま」放送をするということを言っているとも読める。

一方で、「当該放送の内容を含む放送番組の配列（編成）、放送系統、放送区域その他の放送の実施方法は、武力攻撃事態等の状況に即して、これを自主的に決定する」とうたい、最低限の独自の編集権が存在することを明記している。さらにまた、「要請の内容は、協会に放送の自律が保障され、かつ、協会の言論その他表現の自由が確保されると認められるものでなければならない」との歯止め条項をおいている（www.nhk.or.jp/pr/keiei/hogo/index.html）。

このようにＮＨＫですら、相当の「用心」をもってこの制度と向き合っていることが分かる。民放も同様の文書規定を持っていることが想定されるが、インターネット上で公表している局は必ずしも多くない（あるいは簡単に検索できるような状況にはない）。

これら一連の有事法制の立法過程においては、検証不能な政府発表を原則そのまま放送することが、法律上義務づけられることになれば、憲法が保障する表現の自由と抵触する可能性があるとの批判を受け、罰則の適用からははずし、放送局に自主性の余地を残すことになっていった。さらに国民保護法では、「言論その他表現の自由に特に配慮しなければならない」とするほか、「国民の自由と権利が尊重されなければならない」と、表現の自由の尊重を定めている。

そのうえでさらに、仮に「制限が加えられるときであっても、その制限は当該緊急対処保護措置を実施するため必要最小限のものに限られ、かつ、公正かつ適正な手続きのもとに行われるものとし、いやしくも国民を差別的に取り扱い、並びに思想及び良心の自由並びに表現の自由を侵すものであってはならない」との配慮条項をおいている。この二重三重の歯止めこそが、制度がかかえる危険性を表わすものにほかならない。

これらの条項とは別に、指定公共機関である放送局に対しては〈警報の放送〉〈避難指示（解除）の放送〉〈緊急通報の放送〉がそれぞれ義務づけられており、放送要請があれば「速やかに、その内容を放送しなければならない」とされている。なお、戦争や大規模テロを想定したこれらの「有事」向けの法体系は、二〇〇三年以降に整備されたものであるが、その原型は、災害対策法体系に見ることができる。

その基本になる法律の一つは、一九五九年に大きな被害をもたらした伊勢湾台風を契機に、一九六一年に制定された災害対策基本法であり、そこで指定公共機関制度が設けられ、これらの指定を受けた機関に一定の責務（国や地方自治体に対する協力義務）を負わせる構図がつくられている（災害対策基本法六条。同条二項では「その業務の公共性又は公益性に鑑み、それぞれの業務を通じて防災に寄与しなければならない」と定める）。

もう一つの基本となる法律が気象業務法で、気象庁は「報道機関の協力を求めて、これを公衆に周知させるように努めなければならない」と定めており、新聞・テレビなどの報道機関は、協力が要請されている。またNHKに対しては、「気象、地象、津波、高潮、波浪及び洪水の警報」に関し、「直ちにその通知された事項の放送をしなければならない」との放送義務が課されている。同様な協力要請や努力義務の仕組みが、水防法や日本赤十字社法にも存在する。

広がるメディアへの適用

今回の震災でも、多くの報道機関は、原子力災害対策特別措置法（一九九九年制定）に基づく「指定（地方）公共機関」として、政府・自治体のコントロール下におかれた。それは、国家的危機に対応するため政府（自治体）が「緊急事態」を宣言すると、憲法で保障されている私権が部分的に制限される法スキームができあがっているからだ。

同法が法規則を準用する災害対策基本法は、「独立行政法人、日本銀行、日本赤十字社、日本放送協会その他の公共的機関及び電気、ガス、輸送、通信その他の公益的事業を営む法人で、内閣総理大臣が指定するものをいう」とし、報道機関としてはＮＨＫのみを明文で指定している。そのうえで、内閣府告示によって、主たる民放放送局のほか、鉄道会社や通信会社など全部で五十六団体が指定されている。

同時に法には、「指定地方公共機関」についての定めがあり、この規定に基づき各地方自治体の長から新聞・放送・通信各社が指定を受けている。現時点において、報道機関の指定をしていない（報道機関が参加を拒否している）自治体は、沖縄県のみである。

このように、指定公共機関の定め方は重層的で、法で直接定めるＮＨＫと、法の委託を受けて法施行令で総理大臣が指定することを定め、その規定に基づき指定される放送事業者（東京・大阪・名古屋の国内主要放送局十九局）と通信事業者（回線及び携帯電話キャリア五社）、法の委託を受けて地方自治体の長（都道府県知事）が指定する放送・通信事業者（当該自治体を放送エリアとする放送局）という定め方がある。

以下、報道機関がこうした指定公共機関に指定されることがどのような意味を持つかについて、災害対策基本法の規定をもとにみていく。まず国は、指定公共機関に対し、「必要な指示ができる」ことになり、同機関は「協力する責務を有する」とされる。そのうえで報道機関に、情報収集・伝達の努力義務が課されることになる。最新の情報を収集することに努めるのは、報道機関の基本であって、いわれるまでもなく行なう本来業務であるが、この収集情報をどこまで報道するかは、まさに報道機関の独自の編集・編成権そのものであって、これを法で定めることによって、別の意味が生じることは明らかであろう。

また同時に、警報の発令や避難勧告・指示などの「災害応急対策」の実施や、行政機関の求めに応じた「資料又は情報の提供、意見の開陳その他必要な協力」を行なわなければならないとされる。こうなると、さらに一段高い問題が生じる。すなわち、報道のために収集した情報を、公権力に「提供」しなくてはいけないとされているからである。

もちろん、救援に必要な避難情報や、その前提になる被害情報を隠す必要はないし、報道できなかった情報・データも含め、提供することが必要な場合がある可能性をゼロとはしない。しかし政府・自治体は、情報は報道を通じて入手すべきであって、一般には報道済み情報の提供を求めるのにとどめるべきであろう。

こうした点で、際限がない提供を求める行為は、災害の場合はいざ知らず、戦争などの有事になった場合は、報道機関が「どこまで知っているか」を瀬踏みする材料にも使われかねないし、さらには情報源の特定につながる恐れもないとはいえない。こうした危険性についての議論が、これまではなさすぎたともいえるだろう。

また、報道機関に対し職員派遣の要請や、職員の派遣斡旋についての規定もある。そして要請や斡旋があると、指定公共機関は職員を派遣する義務が課される。これについても、すでにNHKが危惧を表明しているが、なぜ職員派遣が必要なのか、その必要性については強い疑問がある。

先に述べたように、この指定公共機関の制度は、おそらく当初の想定を越えて次々に拡大しているが、ほぼ同じ制度を、自然災害から原子力災害や有事といった、いわば「人災」にまで自動的に拡大することには無理がある。むしろ現在の規定は、未曽有の、しかも甚大な自然災害を前に、官民で情報を共有して被害を最小限に食い止め、救援を促進しようという意図と読める。しかし、たとえば有事の場合は、官民の少なくとも報道機関と政府の関係は同じではないはずだ。むしろ政府と報道機関の間に、いかに距離を置くかが過去の戦争の教訓であり、ジャーナリズムの課題であるからだ（有事と人災の関係については、たとえば本橋春紀「制度比較・有事法制と災害対策基本法」『月刊民放』二〇〇四年二月号、参照）。

今回の東日本大震災では、災害対策法および原子力災害対策特別措置法に基づく、指定公共機関たるマスメディアに対する要請は、行なわれなかったとされている。しかも災害時に、報道機関はすでに、期待されているような警報放送や避難指示の放送は自主的に行なってており、要請のあるなしは業務（報道内容）に影響を与えなかったということだ。しかしこうした「黙認」こそが、結果的には指定公共機関制度が拡大し、一般化していく状況を招いてきたのであり、総体的な言論状況への脅威となり、知る権利を損なう結果になっているとはいえないだろうか。

議論不足だった新インフルエンザ法

こうした指定公共機関の規定は、二〇一二年通常国会で成立した新型インフルエンザ等対策特別措置法にも含まれており、衆院通過の附帯決議でわざわざ表現の自由への配慮が謳われた。これは、立法時の必要最小限度の条件である、「事実、効果、手段」を軽んじる政権の姿勢を如実に示しており、二〇一二年の消費税国会において、実質議論もほとんどないまま成立した。

悪法も法なり、といわれることがある。しかしその前提は最低限、法としての体裁が整っていることが必要だ。それからすると、この法律は法とは呼べない代物である。なぜなら、立法事実（なぜ立法が必要かという理由）も、立法効果（法によって問題が解決する見通し）もなく、さらには立法手段（そのための方法）もいい加減という、珍しいくらいマイナスの要素が三拍子揃った法だからだ。にもかかわらず、インフルエンザがはやると怖いという恐怖心や、感染予防に反対しづらいという心理状態を突いて、国会での審議時間は委員会・本会議をあわせてもわずか五時間程度という、実質議論なしで成立した。

もちろん、上程前の二〇一二年一月には「新型インフルエンザ対策のための法制のたたき台」（内閣官房新型インフルエンザ等対策室）が示され、それがパブリックコメントにもかけられており、その意味では形式的な行政手続は踏んでいる。しかしその時のたたき台は、大きな字の箇条書きで示されたA４判２枚の短い文章で、それですら厳しい意見が寄せられていたにもかかわらず、パブリックコメントの結果が発表された直後の三月には、七八条にわたる法案が出されている。これは、すでに前の段階で用意されていた法案をあえて隠し、簡単なペーパーでごまかしたのではないかと疑われても仕方がないやり方だ。

こうした議論不足という声に対しては、同法の準備は二〇〇四年三月に設置された関係省庁対策会議に遡るもので、〇九年に流行した新型インフルの際には、むしろ国民の声も一致して政府の強力な対応を求めるものであったという。それを受け一一年九月には、必要な法制のための論点整理が示され、今日に至っているというわけだ。しかし結果として出てきた「新型インフルエンザ対策行動計画」によると、立法事実は一九一八年に発生したスペインインフルエンザと同等の強毒性の場合、死亡患者六十四万人に達するのであって、こうした事態を防ぐためには、強力な権限による行政対応が必要だとされている。

しかし専門家は、すでに現在の医療環境との違いから、この想定はあまりに乱暴ではないかとする。こうした推計データの意図的な活用は、たとえば人口推計では幅がある推計値のうち、常に社会保険料負担が低くなるデータで計算をしたり、現行の電力需要でも、発電量の一部を不算入するなど、政策決定にうまく利用されがちだ。これと同じことが、行政にとどまらず立法過程でもなされたことになり、そうなるとそもそもの立法根拠自体が霧の中だ。

また効果についても、前回の流行例からウイルス潜伏期間を考えると、水際作戦などの検疫対応は限界があるし、学校を休みにした結果、周辺地域の盛り場に学生が出かけて蔓延した事例など、防止措置の有効性への疑問が消えない。むしろ、ワクチンの供給体制や検査体制など、医療機関へのサポートにこそ金と人をかけて、重症化を防ぐ仕組みづくりを優先すべきとの現場の声も強いとされる。

もちろん、憲法が保障するさまざまな人権が一方的に制約されるという問題もある。予防接種が事実上強制されることで、打たないことによる社会的デメリットが格段に増加することが予想される。たとえば接種を拒否した本人や家族は、出社や通学の禁止を会社や学校から命ぜられる可能性もあるし、接種による副作用の責任を誰がとるかも不明だ。そして極めつけは、緊急事態宣言が発令されると、蔓延防止策として外出禁止とともに集会が事実上禁止されることである。

文言としては、「当該施設の使用の制限若しくは停止又は催し物の開催の制限若しくは停止」とし、しかもその有効期間は最大二年間とする。立法担当者は、「要請」もしくは守らせるための「指示」に過ぎないというものの、少なくとも公共施設やホテルやコンサートホールが、要請を無視して催し物を認めるとは思えない。

これによって、表現の場が一方的に失われることになる。しかも、効果という点では、集会の中止措置はどれほどの感染防止効果があるかは不明である。さらにいうならば、議事録などからは、この点について政府内でもほとんど議論されないまま、「人が集まるのはまずい」といった抽象的な危険の可能性をもとに、決められた疑いが強い。これは、表現の自由を制約できるのは、表現行為によって生じる不利益が明らかで、かつ制約する場合の基準は明確・厳格でなければならない、という大原則に反するのであって、違憲の可能性が高い。しかもその具体策は、日本の一般的特徴でもあるが、法ではなく政令で定めることになっており、政府に悪意があるかどうかは別にして、恣意的に規制する道を開くものにほかならない。

この法の指定公共機関制度（二条）で指定された報道機関は、現在はＮＨＫだけであるが、災害対策法と同じ運用をするなら、都道府県知事が、各地域ごとの報道機関を指定する流れになることが想定される。その際には、放送局だけでなく新聞社も含まれる可能性が高い。

いったん指定された報道機関は、「その業務について、新型インフルエンザ等対策を実施する責務を有する」という抽象的な文言のもと、行政の長は「必要な指示をすることができる」とされており、具体的な報道内容についても制約を受ける可能性がある。さらに業務計画を作成・報告し、それを受けて行政の長は助言を与えることができるとされていたり、行政機関に職員を派遣することが求められたりと、すでに指摘した問題点をすべてあわせもつもので、直接的な表現規制につながる危険性があるといわざるをえない。

3　法による義務づけと行政災害情報サービス

災害放送の義務づけ

放送法でも、これらの規定と重複するかたちで、「基幹放送事業者は、国内基幹放送等を行うに当たり、暴風、豪雨、洪水、地震、大規模な火事その他による災害が発生し、又は発生するおそれがある場合には、その発生を予防し、又はその被害を軽減するために役立つ放送をするようにしなければならない」との、災害時の包括的な放送義務を定める規定を有する（なお有事に関する規定は放送法にはない）。

ここにいう基幹放送事業者とは、地上波放送（テレビ・ラジオ）、衛星BS放送、一部の衛星CS放送のほか、携帯電話会社によるマルチメディア放送（ドコモのnotTVなど）を指すとされている。

これによって、放送法上は放送事業者に防災放送が義務づけられることになるが、国や地方自治体による防災計画の中に組み込まれているのは、現時点ではNHKと民放地上波だけである。こうした放送法上の規定とは別に、報道機関において実際に行なわれている情報伝達としては、緊急地震速報と安否情報確認がある。

気象庁は、地震発生直後に、震源に近い地震計で捉えた観測データを元に、地震の規模を計算・推定し、地震の影響を受ける地域に警報を発表している。第一波（P波＝プライマリーウエーブ）と、本震にあたる第二波（S波＝セカンダリーウエーブ）の時間差（初期微動継続時間）を利用して、地震規模・到達地域を推定している。この警報が、放送局や携帯電話会社に伝わり、テレビ、ラジオ、携帯電話を通じて直ちに利用者に伝わる仕組みになっている。

放送局は、気象庁とオンラインで回線を結んでいて、情報が伝達されると自動システムで直ちに速報が流れるよう設定されているのが、一般的である。また、携帯電話会社においても、通常のメール通信とは異なり、制御用ネットワークを利用し、特定地域にある大量の携帯電話に対し、いわば「放送型」の一斉同報を行なっているのが特徴である。これらの対応は法による義務はなく、各社の独自の判断に委ねられている。

こうした一斉同報は、NTTドコモとau＝KDDIのフィーチャーフォン（通常の携帯電話端末）で標準装備となっており、高齢者向け端末も原則対応しているが、子ども向け端末は非対応のものが多い。アンドロイド搭載スマートフォンも、グーグルアプリによって原則対応可能である。非対応のiPhoneなどに関しては、独自アプリとして地震情報を通知するものも用意されている。

安否情報システムとして従来から一般に機能しているものには、新聞のほかにテレビやラジオによる安否情報放送と、携帯電話各社が実施している災害伝言板がある。前者のうち最も典型的なものは、新聞が、警察庁および自治体発表のほかに独自取材によって収集した情報を掲載する「安否情報」である。同様な仕組みでNHK（テレビおよびラジオ）も安否情報を放送してきた。民放各局も、規模の違いはあるものの、ほぼ同様である。

その他のユニークな取り組みとしては、ラジオ各社が進めるアナログの災害時ネットワークがある。ニッポン放送が一九八〇年に開始した「お勤め先安否情報システム」がベースになったものとされ、近隣のビル安否情報のほか、私立学校安否情報、理髪店やタクシーなどからの情報を集約するものである。似たシステムとして、文化放送はクリーニング店と、TBSラジオはタクシーと、災害時の情報ネットワークを構築している（東京新聞二〇一一年五月二十日付朝刊）。

あわせて、行政機関が実施した災害情報の伝達や関連政策について触れておきたい。各自治体の行政機関は、津波（地震）警報に対応して、必要に応じて避難指示・勧告を発し、指定の避難場所に誘導することが、法により義務づけられている。東日本大震災においても、各自治体では（被災地外も含め）規程に則った行政措置が行なわれたものと見られている（地震で役所内の送受信機の電源装置が故障し、放送できない自治体もあった）。

また、全国レベルの情報伝達システムとしては「全国瞬時警報システム（J-ALERT）」があり、大災害や武力攻撃があった場合、津波警報や緊急地震速報、弾道ミサイル情報などの緊急情報を、気象庁や内閣官房から消防庁を経由して、人工衛星で全国市区町村に伝達できるようになっている。受信した自治体では、同報系防災行政無線（防災無線）が自動起動し、住民に情報が伝わる仕組みである。管轄する消防庁によると、受信機の整備率は二〇一一年十二月段階で九八％（一七四二団体中、一七一四団体）であるが、そのうち自動起動を実施している団体は全体の六割にとどまっている。二〇〇七年から配備が始まり、配信情報は二〇一一年現在二十三種類、一部情報については自治体が選択的に自動起動することも可能だ。消防庁が発信してから、数秒から数十秒で防災無線が自動起動し、登録済みの音声で緊急情報が流れるとされる。

この情報は、一部のケーブルテレビやコミュニティFMに提供されているほか、館内放送や電光掲示板で流すことも行なわれている。ただし、震災発生後の地震速報や、避難指示を受けての住民の行動についてては、実際には十分伝達されていなかったり、避難した者はごくわずかにとどまっていることが明らかになっている（東京新聞二〇一一年四月十八日付夕刊、同八月一日付朝刊）。内閣府の調べでは、被災三県の沿岸地域住民で緊急地震速報や地震情報を見聞きしなかった人が、過半数であることが明らかになった。また、静岡、和歌山、高知、愛知、三重、徳島の太平洋岸六県では、避難指示を受けて指定避難場所に避難したものは、二・五％にすぎなかった（共同通信社調べ）。住宅内にいて、屋外の防災無線が聞こえなかった例もあるという。対策として自治体によっては、防災無線を受信できるラジオや個別受信機を有償、無償で配布したり、メール配信を実施している。

ミクロな情報発信の必要性

一九九五年の阪神・淡路大震災と、今回の東日本大震災とのメディア環境の違いの一つは、通信手段の決定的な進化である。当時の主流は固定電話であったが、二〇一一年において携帯電話は固定電話の普及率を上回っていた。その一方で、携帯電話は基地局や周波数（電波）容量の関係から、輻輳（電波の混信など）が起きやすくなり、東日本大震災でも発信制限がかけられた（大晦日などと同じ状態）。電通リサーチの調査結果によると、関東地方在住者の場合、携帯電話を利用しようとしたものの、多くは不通であった。通話に比較してメールはつながりやすいとされているが、震災時に川崎にいた筆者の実感で言うならば、発信はできたものの、大幅な遅滞を生じ、必ずしも実用的ではなかった。

ただし、内閣府の被災県住民調査によると、緊急地震速報を見聞きしたものは、ラジオ・テレビより携帯電話が多く、「揺れる前に見た」との回答も約二割ある点は注目される。しかし一方で地震情報に関しては、「避難の途中」や「停電」によって知ることができなかったという回答が半数を超えている。なお、無線LAN通信については、利用者が限定的であることに加え、ツイッターやフェイスブック、あるいはインターネットメールといったサービスは、設備（サーバー）が世界中に分散配置されていることから、今般の震災時においても、比較的スムーズに接続が可能であった（ただし携帯基地局のバッテリー切れなどで、使える時間は長くはなかった）。

津波被害による通信の物理的限界を考慮すると、少なくとも、光通信で全家庭を結ぶとか無線LAN網を張り巡らすといったデジタル化政策ではなく、地域コミュニティ紙や地域放送局の存続をどうサポートするかといった点にシフトした、現実的な対応策の検討・実施が求められよう。実際、震災直後の電気もない状況の中で、避難所のほぼ唯一の情報源が、地域コミュニティ紙であったことは象徴的である（部分的にはラジオによる情報取得が図られた）。

ましてや情報の中央一元化は、生活情報の欠如ばかりか、災害報道においても大きな欠陥をもつことが改めて明らかになった。この点で、被災地域の情報不足を全国一波の衛星放送でカバーすることは、形式上可能であっても、実態的にはカバーしえないことを知る必要がある。今回の震災によって、各家庭でテレビ受像機が消失するなどの甚大な被害が生じたことから、被災三県については地デジ移行の延期が実施され、同時に衛星放送による代替措置がとられた。しかし、東京発情報の衛星放送の報道内容が被災地ニーズに合致せず、とりわけ生活情報の不足が深刻であったとの声を現地で幾度となく聞き、衛星放送が地上波放送を代替しえないことが明らかになったといえる。

その点では、コミュニティ放送局より出力が大きな臨時災害放送局の設置が、被災地における情報伝達において一定の役割を果たしたことが報告されている（たとえば市村元「東日本大震災後27局誕生した『臨時災害放送局』の現状と課題」『研究双書』第一五五冊、関西大学経済・政治研究所、二〇一二)。なお、これら臨時放送局は、生活情報のキーステーションになるほか、喪失した行政の防災無線の代役としての働きを持つなど、二〇一二年夏段階においても地域の情報発信源として活用され続けている。

ただしその財源は、広告収入がほとんど見込めないため、現状では日本財団などの寄付に頼っている。こうした財源は単年度や一過性のものが多いだけに、事業の継続は相当に厳しいとの見方もできる(一方で、震災に対する関心が続く限り、それほど大きな額ではないだけに寄付が途絶えることはないとの楽観的な見方も存在する)。さらには、恒常的に放送局になるには、コミュニティFM局に衣替えする必要があるが、そのための免許申請をどうするか(財源的な担保が求められる)、出力が逆に小さくなってしまう問題をどうするか、などの解決が難しく、「当面」いまのままという消極的選択がなされている。

終章　希望の公共メディア

1　ローカルメディアの有用性

ここまで、日本のジャーナリズムについて、東日本大震災の各メディアの取材・報道・情報伝達を素材に考えてきたわけであるが、最後にこれらのメディア活動を取り巻く法・社会制度や、震災時に発生した情報コントロールの実態を踏まえて、3・11以後のジャーナリズムのありようを考えてみたい。

メディアの三層構造――ナショナル／ローカル／コミュニティ

3・11を経て、多層的なメディア環境の重要性が改めて確認された。ここでいう多層の意味は、先に述べたような伝統・新興といったメディア形態の違いではなく、主として到達エリアによる違いをさす。

具体的には、新聞でいえば、朝日、毎日、読売、日経、産経といった全国紙（在京紙五紙）と、河北新報、岩手日報、福島民報、福島民友、東奥日報といった県紙、そして、いわき民報、デーリー東北、さらには石巻日日新聞（石巻）、東海新報（大船渡）、三陸新報（気仙沼）、三陸河北新報（石巻）といった地域紙などの、ナショナル／ローカル／コミュニティの三層構造が存在する。

テレビやラジオでいえば、NHKおよび民放在京キー局（日本テレビ、テレビ朝日、TBS、テレビ東京、フジテレビ）と、ローカル局とよばれる県域テレビ・ラジオ（宮城県域でいえば、東北放送、仙台放送、宮城テレビ放送、東日本放送）、そしてコミュニティFMなどの地域放送局があり、ここでも新聞同様、ナショナル／ローカル／コミュニティの三層構造が存在する。

民放連加盟社でいえば、青森から福島にかけての太平洋側県域ローカル各局としては、青森放送、青森テレビ、青森朝日放送、IBC岩手放送、テレビ岩手、岩手めんこいテレビ、岩手朝日放送、テレビユー福島、福島放送、福島テレビ、福島中央テレビがある（先にあげた宮城を除く）。

さらに震災時などには、コミュニティ放送に、臨時災害放送局（FM局）が加わることになる。岩手みやこ災害FMなど、岩手、宮城、福島、茨城の各県で二十四局が開局し、二〇一二年八月段階でも十八局が放送を実施している。

今回の震災においては、それぞれのメディアが独自色を発揮して報道を継続している点が特筆される。たとえば当初の報道において、現場に近ければ近いほど（コミュニティ、ローカル、ナショナルの順に）、人間ドラマを紙面化したり放送したりすることはなく、「明日の生活」により直結する生活情報を流し続けた。悲喜こもごものヒューマンドキュメントは「いま」必要な情報ではない、との判断によるものである。

また、意図的に悲しみよりも明るい話題を報道することを心がけたのも、ほぼ一致している。とりわけコミュニティ放送においては、最初の一週間ほどは、救出を求める連絡（メール、ファクス、電話など）があった場合、その真偽が確認できなくても、とりあえず報道したという。こうした対応は、「不確実情報」の報道に慎重であったナショナルメディアとの違いを際立たせるものといえる。

少なくとも震災に限っていうなら、全国規模のマスメディアと同時に、ローカルメディアとりわけコミュニティメディアの力が遺憾なく発揮された点に注目する必要があると思う。それは、情報がデジタル・ネットワーク化されてナショナルどころかグローバル化している時代だからこそ、その時代状況にふさわしいメディア環境をどう形成するかを考えるうえで、必要な視点だと思うからだ。

マスメディアについては、原発報道や放射能汚染報道に関して、ネットの世界を中心に、テレビや新聞は要らない、もう役割は終わったといわれてきたが、継続的、安定的でかつ職業的訓練を経た取材・報道体制をもっていることの重要性や有用性が、発揮された面も多かった（第2章参照）。ローカル・コミュニティメディアについてはこの十年、ローカルテレビは要らない、全国放送さえあればよいという意見もあったが、生活に密着した地元情報の必要性が、改めて確認された一年余であるといえる。

こうしたメディア接触状況のなかで相対的に難しい舵取りを迫られているのは、中間に位置する県域の新聞、テレビ、ラジオなどのローカルメディアではなかろうか。とことん地域に密着するコミュニティメディアにはなりきれず、さりとてナショナルメディアのような突き放した報道はありえない。被災地を歩いても、県紙やローカル局には感謝の声がある一方で、東京発のテレビや全国紙同様の「冷たさ」を感じている被災者の数も少なくなかった。

確かにテレビの場合、そもそもローカル局の取材体制は薄い。どの局も報道セクションの専属記者は、せいぜい十人の単位である。さらにはキー局との関係で、番組編成上、十分な時間が割り振られない担当者の悩みは深いと聞く。しかしそうした「内輪」の悩みをいったんおいても、結果として量的にも質的にも貧弱な報道であったといわざるをえない面があり、ローカルメディアの意義を知らしめたとはいいがたい。

ではいったい、地方新聞、地方局といったローカルメディアは、今後どう変わればよいのだろうか。その答えは簡単ではないが、それは今回の震災で、県域のＡＭ・ＦＭ局とともにコミュニティＦＭ局がみせた踏ん張りに、活路が見出せると思われる。読者・視聴者により接近するという「ハイパーローカル」（徹底した地域主義）のアイデアであり、それ自体は決して新しい〈思想〉ではないものの、少なくともこれからの十年を考えるならば、地元の結束を強め新しい東北を作り上げていくうえでのキーコンセプトになるであろう。

その意味で、先に挙げたようなおおよそ二〇〇〇年代に入ってからの新自由主義路線の中で謳われた、地方切り捨ての議論とはまったく異なった方向での、ローカルメディアの見直しが進められていく必要があるだろう。経済振興のためのメディア企業集中化による国際競争力の増強ではなく、受け手本位の地域発信力強化の模索である。

先にローカルメディアの位置取りの難しさを述べたが、少なくとも中央に対する地方という観点でいえば、まさに県紙やローカル局といった一定の力（発言力および資本力）をもったメディア企業こそが、地元発信力の核になっていく必要があり、それこそが中央に対峙して、東京思考ではない、地元本位の地域再生を実現するための鍵になる。従来ももちろん、地域振興・発展を社是に掲げる新聞社・放送局が圧倒的に多いように、地元あってのメディアだったことはまちがいない。しかし、ややもすると地域に寄り添うことは、地域行政・経済界と一体になることだと理解されてきた。そして、メディア企業自体が電力会社や金融業とともに、地域のナンバーワン企業として、地域経済を牽引する役割を負ってきた。こうした企業としての行動原理は否定できない。しかし3・11以後は、より住民の立場に立った行動、住民の視点での紙面・番組展開をすることで、地域発展の核になっていく必要があるのではないか。

しかもそれを、取材態勢や実際の紙面展開で、目に見える形で実行する必要がある。震災後、地元紙はすべからく地域主義を謳い、被災者に寄り添う報道を実行するという。しかし実際には、その主たる取材先は被災住民ではなく、旧来の行政中心ではないか。取材拠点を内陸の県庁所在地に置くとともに、記者の配置も重点的に内陸部に置くことで、沿岸地域が手薄になってはいないか。住民は敏感に、震災からの時間の経過とともに、メディアの対応の変化を感じ取っている。

ローカル各局にすれば、二〇一一年のデジタル化費用に加えて、とりわけリーマンショック以降の経済不況、さらにメディアの多様化による相対的なテレビ広告出稿の減少という、厳しい経済状況があった。そのうえに、今回の震災という経営上のトリプルパンチを食らったわけであるが、現実には、多くの被災地報道機関は、むしろ危機感がバネになって、前年比でプラスの収益を上げているところが少なくない。しかしその一般的内実は、コストカットによる収益増であって、販売や広告収入が厳しい状況にあることに変わりはない。

関東大震災を契機に出版流通のイノベーションが起こり、流通の近代化と出版産業秩序が再構成され、あるいは在京新聞の業界地図が一変した。これと同じとはいわないまでも、いまこそ東北のローカルメディアは、これまでの業界慣行と予定調和市場の呪縛から解き放たれる変革のチャンスである。今回の震災を、東北地方のローカルメディアの反転攻勢のきっかけにしなくてはならない。

地方情報発信力を支援せよ

震災対応として、今回の「情報空白」を埋めるために、国家財政によってラジオを配布する、あるいは耐用年数が限界に近いアナログラジオのインフラ整備を、防災の観点から国家予算で何とかすべきだという声がさっそく聞かれる。しかしこうした発想は、たとえは悪いが全家庭に国家がラジオを配るという、まさにヒトラーのプロパガンダ政策そのものであって、メディアが行政による救済の枠の中でビジネスを継続することの危険性を、指摘せざるを得ない。

もしメディア政策が必要であるとすれば、それはローカルメディアの支援であり、そのための制度保障でなくてはなるまい。地域情報が発信可能なメディアの存続を第一とし、それを受けて、ローカルメディア自身が、地域のためあるいは地域外に向けてどのようなかたちで何を発信するかを、問い直す機会を創造していくことが大切であろう。

本来であれば、それを行政に頼ることなく、メディア自身が自立的になしえるか否かが問われているわけだが、津波被災地の地理的状況を勘案するならば、災害臨時放送局の例を見ても明らかなように、広告収入を多く期待できず、現在のような民間団体からの助成や寄付に頼る状況は心もとない。ならば、公的支援の可能性も追求する必要があるだろう。震災後一年を経たのち、たとえ偏在的であったにしても一時的に増加した発信情報量は、もとの状況に戻りつつある。

したがって現状を黙認することは、被災地当事者の声が被災地外に伝わりにくい状況を助長し、固定化することになるだろう。それを克服するために、ＳＮＳなどインターネットを通じた個人発信力に頼ることには限界がある。もちろん、デジタル化によるメディアの一元化も視野に入れれば、伝統メディアと新興メディアの融合も含め、メディア形態を超えた連携が必要になる局面もあるかもしれない。しかしポイントは、被災地の声を拾い、集め、整理し、中央に訴える、強い発信力を有するメディアの必要性である。

その意味では、ローカルメディアの統合・提携は、マスメディアの集中排除原則をどう考えるか、ということとも密接に絡む。現在はこの原則により、地域内での情報の独占・寡占を防ぐ目的で、同一企業による新聞・テレビ・ラジオの兼業は禁止されている。もちろん、行政判断による「例外」が一般化する中で、必ずしも厳格な法原則ではないが、たとえばコミュニティにおけるマルチメディアによる情報発信（紙も放送も通信も）という形が、強力な地元の声の発信になるならば、許容される余地はあるだろう。

ただしその時に、地域における多様な声をどう反映させるかの保証が、一方で必要なことも忘れてはならない。多様性の確保は、表現の自由の根幹を成す必要条件で、声の大きさを求めることより一段と重要なことである。

むしろいまは、そうしたメディアがほとんどないのが問題なわけで、こうした情報過疎に対して、どのようなメディア政策をとりうるかが問われている。もちろん、ローカルメディアの存在は、災害時のコミュニケーション手段の多様性の確保の点でも重要である。警報や避難情報をいち早くキャッチするには、より多くの、しかも形態が異なるメディアが、情報を発信する環境が好ましい。

地元からの情報発信の具体的な事例としては、河北新報の震災後のＳＮＳ対応がよく挙げられる。

これなどはまさに、ローカルメディアがハイパーローカルに挑み、しかも成功した例であるといえる（担当者である佐藤和文による、「地域社会との新たな関係づくり――震災で一気に顕在化したネットへのニーズ」『新聞研究』二〇一一年九月号、参照）。本紙では報道しきれない、あるいは新聞というメディアの特性上、報道できないミクロの生活情報を、集め、拾い、ユーザーのニーズに応えたものであるからだ。

その情報発信の象徴は、コミュニティサイト「ふらっと（flat）」で、自らを「河北新報社が運営する市民参加型の『地域SNS（ソーシャル・ネットワーキング・サービス）』」と位置づけ、自由な情報・意見交換の場となっている。また、同社が開設する公式SNSとしては、フェイスブックの一アカウントのほか、ツイッターは先述の「ふらっと」以外にも全部で七アカウントあり、実際に積極的な情報発信を行なっている。

もちろん同社のオンライン公式サイトも、筆者が見る限り新聞社の震災関係では最も充実したものである。それは、被災地の新聞社として情報をアーカイブ化し、本紙読者を超えて広く情報の共有を図ることを目指し、それによって被災地の現状を知ってもらい、再生への足がかりを摑もうという意欲の表われと捉えられる。その強い「思い」が伝わるのである。

もちろん報道内容のベースは、新聞本紙の紙面である。しかしこうした取り組みは、震災を克服し、新たな社会（生活圏）を構築するために、県内努力だけでは不可能である現実を前に、いかに紙面の影響力を広げるかの試みである。それは将来的には、本紙紙面から独立したウエブサイトの運営にもつながる可能性がある。それはいわば、ローカルを超えたナショナルを対象とする情報発信であり、新たな可能性を感じさせるものである。

さらにいうならば、こうしたローカルの新しい試みが「市民力」と融合することが期待される。震災後、被災地においてコミュニティ発の新しいメディアが誕生している。そうした住民の声の発信をサポートするのも、ローカルメディアの重要な役割であるし、それが今後の地元（被災地）を支えていく有効な方法でもあるだろう。現在、多額の復興予算が組まれ、そのうちの少なからぬ額はメディア関連事業にも使われている。しかし残念ながら、支出先の多くは東京メディアで、結局、被災地のためとはいえない状況にあるのは、すでに報道されている復興予算全体の状況に似ている。

たとえばコミュニティFMにせよ、コミュニティ紙の発行にせよ（ウエブ版ももちろん含む）、こうした被災地住民による被災地の情報発信のために、きちんと予算を利用する仕組みを、いまからでも作っていかなければならない。いまは、こうした発想や運用があまりにもなさすぎる。

2　マスメディアと法・社会制度

特異な日本のマスメディア

日本には、文字どおりの「マスメディア」が存在する。だれの身近にもテレビが存在し、また新聞を購読している家庭が一般的で、本や雑誌と日常的に接している。活字離れがいわれて久しいし、確かに若い世代のテレビ離れも進んでいる。それでもなお、日本はやはり「特別な」マスメディア社会であることを、ここで確認しておきたい。

たとえば紙の新聞は、全国どこでも、毎朝決まった時間に自宅まで届けられる宅配制度が整備されていて（戸別配達率は、二〇一一年現在で九五％。五％弱が駅、コンビニなどでの即売、残りのごくわずかが郵送分）、しかも一日に全国で総数六千万部を超える新聞が発行されている（二〇一〇年現在、朝夕刊セット紙を二部で計算した場合の発行部数は六一五八万部）。その普及率は、統計上二人に一部である（人口千人当たりの部数は四五九部で、一世帯あたりの部数は〇・九部）。こうした大部数・高普及率の国は世界で唯一である。

しかも、ここで対象とする一般紙のほとんどは、世界情勢から芸能ニュースまで、硬軟取り混ぜた総合ニュースを扱っており、紙面に大きな差異がないのも特徴である（一般紙＝四四〇九万部のほかに、スポーツ紙＝四二五万部が存在する。そのほかに、限定された市単位以下の地域ニュース中心の地域紙が存在する）。なお、一般日刊紙の発行部数のピークは二〇〇一年で、四七五六万部だった（新聞総発行部数のピークは一九九七年）。その後は、多少の凹凸はありながら右肩下がりの時代に入っているものの、いまだ中国、インド両国の一億部に次いで、アメリカとともに三位グループにいる。

テレビはどうであろうか。二〇一一年七月二十四日には、予定通り地上波テレビのデジタル化移行が実施されたが、日本中どこでも原則無料で複数の民放チャンネルが見られることは、決して普通のことではない。このどこでも無料というビジネスモデルは、法に基づくＮＨＫの「あまねく放送」義務と、それに対抗する民放の経営努力によって実現している。

なお、公共放送たるＮＨＫには受信料を支払う必要があり、二〇一二年現在、地上契約とよばれる地上波テレビ放送の契約料金は月一二〇〇円程度で（前払いや地域による割引制度がある）、衛星ＢＳ放送の視聴には別途契約が必要である（月二二〇〇円程度）。なお、受信料の未払い率は二〇一一年段階で、三割弱である。ＮＨＫはインターネットへの業務拡大を視野に入れ、受信料制度の抜本的改革を目指し、外部有識者による報告書を二〇一一年七月に発表した。二〇一一年十月発表の経営計画はこれを受けたものとなっているが、二〇一二年現在において、具体的な改革案は示されていない。

まだデジタル放送が視聴者にどう受け入れられるか分からなかった、十年前に策定したアナログ停波予定を、延期することなく実行したという点も、世界的に珍しい。デジタル化は、東日本大震災の被災地については当面延期措置がとられたが、こちらも予定通り二〇一二年三月には終了し、完全フルデジタル化が実現している。なお、同時に衛星BS放送についてもアナログ波を完全に停波し、CS放送と合わせて衛星放送も完全デジタル化した。

日本のテレビは全体として再放送が少なく、広告もせいぜい二割程度で、報道から娯楽まで、これまた多種多様な番組が流されている。なお、民放は自主基準でCMを一八%以下と定めているが、テレビショッピング番組（通販広告番組）は別枠計算をすることが決められている（二〇一一年十一月に、はじめて法による公表義務のもとで各局の番組種別の比率が明らかになり、最も多いBS局では約七割がテレビショッピング番組である一方、地上波放送では全体に占めるテレビショッピング番組の比率は二%と報告した局もあった）。

日本は、公共放送であるNHKと商業放送である民放が、ほどよく拮抗している珍しい国である。公共放送NHKと商業放送（民放）の並存体制が、放送開始時からできあがっており、二〇一三年に六十周年を迎えるテレビの場合、どの地方でもNHKの二チャンネル（総合・教育）と、民放三チャンネル以上（東京圏では六チャンネル）が視聴可能である。

書籍や雑誌についても、マスが実現している。キオスクなどで多様な雑誌が売られている国は確かに多い。しかし、相当に小さな街でも駅前や商店街には本屋があり、そこに行けば、さまざまなジャンルの新刊書、文庫や新書、あるいは雑誌やコミックスがある程度揃えられている国は極めてまれである。

ただし、残念ながら急速に書店数が減っていることも事実である。ピーク時に比較して約一万店が廃業・撤退し、二万店を大きく割り込む状況にある（大型書店化が進み、総床面積はそれほど大きな変化はない）。オンライン書店の隆盛によって、本の入手については利便性が向上したといえるが、現物の本を見て買う機会は確実に減少している（公共図書館の設置数は海外に比して逆に少ない）。

また、再販制度によって全国同一定価販売が実現しており、読者にとっては居住地によらない平等な購入条件が保障されている。値段が、東京であろうと、どんなに都心から離れた所であろうと同じであるという日本の当たり前は、世界の常識ではない。その他、委託販売や固定マージン制度など、独特の流通システムが存在する。

これらマスメディア状況の一部は、確かに過去の戦争による言論統制の産物という側面もある。あるいは、メディアの横並び体質や権威化を助長しているとの批判も免れまい。しかしそれでも、こうした「伝統メディア」を中核に据えたマスメディアが厳然と存在するという状況が、震災・原発事故を経てなお、被災地においても継続している。それは、被災地の再生や新たな発展のために、継続的で安定的な取材・報道活動を行なうメディアに対する期待という側面もあるのではないか。あるいは実際、災害時における情報伝達の仕組みは、こうしたマスメディア状況を前提に考えられており、今回の震災でも一定の機能を果たした。

そうであるならば、この日本独特の新聞・テレビ・出版という、伝統メディア中心のマスメディアを否定するのではなく、最大限に活用し、市民の情報発信や世論形成に資する環境を再構築すべきであろう。それは、ソーシャル系の市民メディアと相反するのではなく、地元の意見を中央に伝え、政策を実現するためのツールとして、むしろ必要不可欠であると考えられる。もちろん、そのためには既存の伝統メディアが変わる必要があり、その処方箋は、すでに本書で示してきた。

市民の知る権利のために

現在、NHK、民放、大手新聞社には、マスメディアとしての優遇措置があり、取材・報道上のみならず、経営・財務上の特別扱いを受けている。それはまさに、情報流通を促進させ、一般市民の知る権利を充足させるための特別な制度である。同時に別の面でいえば、特定のメディア企業を維持するための社会装置でもある。継続的・安定的な取材・報道が可能な経営基盤があることで、読者・視聴者が期待する、より良質な情報の発信が可能になると考えてきたからだ（拙著『法とジャーナリズム第2版』学陽書房、二〇一〇、同『言論の自由——拡大するメディアと縮むジャーナリズム』ミネルヴァ書房、二〇一二、参照）。

しかし、とりわけ二〇〇九年の政権交代以降、記者会見の場には多くのフリージャーナリストやネットメディアが参加し、前出の既存大手メディアに伍して取材し、報道活動を行なっている。その象徴が、第1章で取り上げた東電会見ということになろう。そうした活動を通じ、あるいは日常的なメディア状況の中で、ネットメディアが市民権を得、震災を通じて一定の信任を得たいま、改めて公共メディアを社会にどう位置づけるかという議論が必要だ。

なぜ、大手既存メディアだけを特別扱いするのかという素朴な疑問は、「差別」されているフリージャーナリストのみならず、記者会見の生中継などで外からその状況を目の当たりにした一般市民にも、自然に感じられるものだ。これに対する一つの答えは、一切の特別扱いをやめてしまえ、といった厳しい既存メディア批判として現われ、それはマスメディア不要論につながるものである。

明治期以来、戦争をはさんで一貫して続いている、特定の大規模メディアに対する特権（特恵的措置）の慣例的継続（長いスパンでみれば拡大）がある。今後はそれについて、社会的合意がえられるか、あるいはいずれかのメディアに特恵的待遇（たとえば消費税率引き上げに伴う減免措置の導入）が認められるとすれば、マス（伝統）とソーシャル（新興）はどう違うのか、が問われることになるだろう。

その中で、伝統メディアが大切にしてきたジャーナリズム性、具体的には独立性・多様性・地域性がどのように確保されるのか、あるいは維持する必要はないのかが、議論されることになるだろう。ネットの世界で一般化するメディア企業の集中と、ジャーナリズムの多様性の確保は両立するのか、自由で多様なメディアと同時に、地域性や独立性をどう担保するのか、という問いを考えなければならない。

これまで伝統メディアが支えてきた、社会における情報共有の仕組みや言論公共空間を、個の集合体であるネットメディアが担う可能性はあるだろう。実際その役割の一部は、すでに電子掲示板やツイッターなどのSNSが果たしつつある。しかし一方で、すべての情報をフラット化することで、情報の爆発が起こり、一般ユーザー（市民）は情報の渦に巻き込まれてしまわないか。社会的な重要テーマについての議題設定を誰が行ない、どういう形で意見集約がなされていくのか、という問題は大変興味深い。情報がフラット化した状況で、繰り返し述べてきた独立性・多様性・地域性が守れるかどうかは、極めて微妙である。

それは言い換えれば、「マス」の社会的な役割を、何が、どう維持していくかにかかっているのではないか。社会共通のメディアが存在しない社会は、えてして個人が分断され、公権力のコントロールを受けやすい〈脆《もろ》い〉社会になってしまうのではないか。もちろん逆に、権力とマスメディアが一体化し、癒着し、市民を騙して誤った方向に誘導するという、過去の苦い歴史があることも事実だ。だからこそ、その経験から、いかに公権力に対して表現の自由を保持し、この力がきちんと発揮できるような、個が独立するとともに尊重される〈強い〉社会を、どうすれば確立できるかを探っていかなければなるまい。

こうしたマスメディアの必要性を議論する際には、「基幹メディア」の存在を期待することになるのかもしれない。それは、いわば中心的な社会的役割を担い、その実行のための社会的責任を負ったメディア機関（媒体）ということになろう。もしそうした存在を是とした場合、国家が特定のメディアを、「中心的な」あるいは「偉い」メディアとして選別することにつながる可能性もある。そうであるならば、その合理的な判断基準が当然厳しく問われることになる。

逆にいえば、いままでは基幹メディアとして新聞・放送を考え、それを社会的に是としてきたわけで、こうしたメディア状況をそのまま継続するのか、新しいメディアに代替させるのかを、改めて問い直すことになる。

もちろんこれは、既存のメディアがそのまま継続することを意味しない。一方でこれまでは期待が先行してきた新興メディアに対し、いわゆる「マス」を実体的に形成するものとして、現実に社会的責任と役割を果たしうる可能性があるか否かを、吟味する時期にさしかかっている。自由なメディアとして活動することはまったく問題ないし、今後も、その自由は可能な限り維持し、発展させていく必要がある。しかし、その自由の翼が今もがれつつあるのだ。同時に、もう一つの顔を見せつつある新興メディアにどのような役割を担わせるかを、選択する必要がある。

その選択肢として、役割と責任を負うメディアは不要で、自由奔放なメディアだけがあれば社会は成立するというのは、あまりに楽天的すぎるだろう。特定のメディアを維持するかしないかの最終的な分かれ目は、「公共メディア」が必要か否かという問題に収斂される可能性がある。そして今回の震災は、中央や地方の政府に頼らない、自立した市民社会の重要性を教えてくれている。

そのためにも、責任ある情報を発信するメディアが不可欠なのではなかろうか。それはいわば、社会全体の出来事に目配りをきかせ、万遍なくその情報を収集・整理・発表し、多様な論点を提示する役割を担うだけの、体力と気概をもったメディアである。あるいは、社会正義の実現を旨とし、公権力の行使を日常的にチェックすることを任務とすることも、重要な要素だろう。さらには、社会の意見形成を図るという役割も備えてほしい。そうした盛りだくさんの要望に一〇〇パーセント答えることは不可能にしても、それらを組織体として目指すメディアが必要なのではないかということを、あえて問いたい。

いまここでは、そうしたメディアを「公共メディア」と呼び、その存在を期待する。

あとがき

二〇一一年三月十一日は、自宅でその時を迎えた。自室で原稿を書いていたが、大きな揺れのなかでリビングに移動してテレビをつけ、反射的に食器棚を押さえて揺れのおさまりを待った。その時点では、これほどの大惨事になるとは想像できず、また自室に戻り、締め切りまぎわの原稿を仕上げるべく執筆を続けたことを思い起こす。交通機関が止まっていることをテレビは伝えていたが、地震国日本の技術力をもってすれば、明日までには大方の幹線は復旧するものとタカをくっていた。

しかしほどなく、避難を連呼するアナウンサーの声とともに津波映像が映し出され、固定カメラで車が流される映像を見て、大変なことが起きたことを知る。それでも切り替わった次の画面では、地震発生直後のスタジオの揺れや都内の様子が流れると、通常の地震の延長線上でしか、今回の出来事を捉え切れない自分がいた。正直、まだ「他人事」だったのだ。

その後いくつかの条件が重なり、勤務先の兄弟校である石巻専修大学（石巻市）に何度も足を運び、可能な限り「現場」を見聞きすることでメディア報道を考え、そして翌二〇一二年三月十一日は南相馬で迎えることになった。そこには、国からも、そしてメディアからも取り残された、一年前と「変わらない」現実があった。なぜ、こうしたことが起きるのか、それを変えるために何が必要なのか。

答えは簡単には出ないものの、何としてでも探り当てなければ、福島、東北、日本の再生はなかろう。

その時にはじめて立ち寄ることができた小高神社は、鳥居や灯籠が崩れ落ちていた。二〇一一年の野馬追《のまおい》の時には近寄ることすらできず、祭り自体も大幅な縮小を余儀なくされ、宿泊した相馬市内のホテルも観光客はほぼゼロ、ほとんどが発電所の作業員だった。しかし一年後の二〇一二年の祭りでは、二年ぶりの神事も復活し、「変わる」現実と、そして現実を変えねばならないという、地元住民の強い意志をみた。

こうした地元の気持ちを、どこまで途切れることなく後押しできるか、そこに「変わらなければならない」ジャーナリズムの答えを見出したいと思う。それが、ジャーナリズム研究に携わる者の、微力ながらも務めであると思う。そして教育者として、多くの東北出身者に支えられている専修大学に勤める者としての務めだとも思う。

本書のもとになったのはいくつかの論稿と報告である。とりわけ、「震災とメディア」(『エディターシップ』一号、日本編集者学会、二〇一一)、「3・11東日本大震災とメディア」(『放送メディア研究』九号、NHK放送文化研究所、二〇一二)、「福島地元紙に見る『原発』報道」(『総合ジャーナリズム研究』二一八号、共著)、「原発『安全神話』の虚構」(『いまこそ私は原発に反対します。』、平凡社、二〇一二)、「公文書とメディア」(『公文書管理法解説』、日本評論社、二〇〇八)の各論稿と、琉球新報や毎日新聞、東京新聞での連載や寄稿、近未来映像情報フォーラム講演(シード主催)、日本記者クラブ記者会見、NHK放送文化研究所のシンポジウム報告が、本書のベースとなっている。

通常であれば、「初出」として本書の該当部分との対応を示すべきであるが、執筆に当たり再構成したため、明確にその対応関係を示すことはできない。したがってここでは、元になった執筆の機会を与えていただいたそれぞれの機関、団体に、この場をお借りしてお礼の意を表し、それをもって報告にかえさせていただきたい。

最後に、トランスビューの中嶋廣氏に厚くお礼申し上げる。編集者として、切り口も対象も大きく異なっていた前記の各論稿をまとめるきっかけを与え、本書の実現を物心ともに支えていただいた。その努力が、今後のメディア状況の改善と情報公開の実現に結びつくことを切に願う。

二〇一三年一月

山田健太

本書は紙幅の関係で索引と参考文献一覧を省略したが、これらについては山田健太研究室ウエブサイト（http://www.isc.senshu-u.ac.jp/~thb0732/）上に掲載する。またこのサイトで、本書掲載の情報に関するアップデートや、より広いまた新しい関連資料の掲載もしていく予定である。

山田健太（やまだ けんた）

1959年、京都市生まれ。専修大学人文・ジャーナリズム学科教授・学科長。専門は言論法、ジャーナリズム論。早稲田大学大学院ジャーナリズムコース、法政大学法学部などでも講師を務める。また日本ペンクラブ理事・言論表現委員会委員長、放送倫理・番組向上機構（ＢＰＯ）放送人権委員会委員などを務める。近著に『言論の自由――拡大するメディアと縮むジャーナリズム』（ミネルヴァ書房）、『ジャーナリズムの行方』（三省堂）、『法とジャーナリズム　第２版』（学陽書房）など。

3・11とメディア
―徹底検証　新聞・テレビ・WEBは何をどう伝えたか―

二〇一三年三月五日　初版第一刷発行

著者　山田健太
発行者　中嶋　廣
発行所　株式会社トランスビュー
東京都中央区日本橋浜町二―一〇―一
郵便番号一〇三―〇〇〇七
電話〇三（三六六四）七三三四
URL http://www.transview.co.jp

印刷・製本　中央精版印刷

ISBN978-4-7987-0134-9 C1036